Lo que debe saber del embarazo

GRUPO
EDITORIAL
norma

Esguerra, Mónica
Lo que debe saber del embarazo / Mónica Esguerra. -- Bogotá : Grupo Editorial Norma, 2006.
84 p. ; 21 cm.
ISBN 958-04-9406-1
1. Embarazo - Preguntas y respuestas 2. Maternidad - Preguntas y respuestas 3. Concepción - Preguntas y respuestas 4. Período de embarazo - Preguntas y respuestas 5. Período perinatal - Preguntas y respuestas I. Tít.
618.24 E74l 20 ed.
A1080908

CEP-Banco de la República-Biblioteca Luis Ángel Arango

Impreso por Impresores en Offset y Serigrafia S.C. de R.L. de C.V.
Impreso en México — *Printed in México*

Redacción, Mónica Esguerra
Revisión técnica, Dra. Ximena Hernández
Edición, Natalia García Calvo

Dirección de arte, Jorge Alberto Osorio Villa
Diseño cubierta, Jorge Alberto Osorio Villa
Diagramación, Blanca Villalba Palacios

Este libro se compuso en caracteres ITC Korina

ISBN 958-04-9406-1

Contenido

Nota: Se han hecho todos los esfuerzos necesarios para que la información que aparece en este libro sea la más completa y la más acertada. Sin embargo, ni la Editorial ni la redactora se compromenten a dar consejo profesional, ni a ofrecer sus servicios al lector individual. Las ideas, procedimientos y sugerencias que contiene este libro no pretenden ser un sustituto de la consulta médica. Todos los asuntos concernientes a su salud y a la de su bebé requieren de supervisión médica. Ni la Editorial ni la redactora son responsables de cualquier pérdida o daño que se alegue que es producto de la información o las sugerencias contenidas en este libro.

Introducción

¡Felicidades! Usted ha comenzado una etapa maravillosa en su vida. Está embarazada y durante los próximos nueve meses su cuerpo y mente experimentarán numerosos cambios y sensaciones especiales. Toda su atención estará centrada en las vitrinas de ropa infantil y juguetes, los anuncios de pañales, los cochecitos y cunas... ¡Hay tantas cosas buenas por pensar! Pero también decenas de incertidumbres y situaciones a las que jamás se había enfrentado.

Quizás esté preocupada por los cambios en su relación de pareja, por la salud de su hijo y por su propio aspecto físico. Es normal que necesite respuestas, y es más común todavía que no conozca a alguien calificado para formularle las preguntas.

Por eso nace este libro. Para servirle de guía y apoyo cuando a las tres de la mañana se le antoje un caldo y no entienda por qué; cuando quiera saber para qué sirven las vitaminas que le formularon, cómo combatir el estreñimiento, cuándo buscar al médico, qué hacer tras la ruptura del saco de aguas, cómo alimentarse durante la gestación o entender por qué su ánimo está tan variable como el clima.

Estas páginas le ayudarán a comprender la evolución de su aspecto físico y a la vez a maravillarse con la formación y el crecimiento del bebé. Le brindarán respuestas a sus dudas sobre los malestares más frecuentes de las embarazadas, y además, trucos para sentirse mejor.

A través de 99 respuestas, usted encontrará nuevas ideas para vivir a plenitud esta etapa y sobretodo, para acercarse con conocimiento y actitud positiva al parto y a la lactancia.

Saber es la clave

La falta de experiencia con respecto a los síntomas del embarazo puede ser la mejor aliada del dolor y el estrés. Si está angustiada porque no ha sentido a su hijo en las últimas horas y le da vergüenza llamar al médico a consultarle, es muy probable que eche a volar su imaginación y piense en algo malo, luego tensione sus músculos y al final se agudicen sus dolores de espalda y acidez estomacal. Horas después, cuando perciba de nuevo las 'pataditas', sabrá que su temor era innecesario y que esos dolores pasaron en vano.

Si es conciente de los malestares normales de su estado, no sufrirá imaginando que algo anda mal con usted o su hijo. De igual manera, si detecta algo anormal, reaccionará más rápido y pondrá al tanto a su doctor.

Algunas investigaciones aseguran que las mujeres que llegan al parto sin saber nada y lo enfrentan como un misterio, tienden a soportar nacimientos más largos y dolorosos.

Estas páginas le servirán para reconocer los cambios naturales de la gestación, identificar las etapas del parto, sus características y la manera de sobrellevar cada situación.

El embarazo en pareja

El embarazo y el nacimiento de su hijo traerán grandes cambios en su vida, la de su pareja y su rutina común. Por eso anímese a aprender costumbres saludables, a alimentarse bien, a hallarle nuevas posibilidades a la sexualidad y a dejar el cigarrillo y otros hábitos negativos para la salud.

Aunque es la mujer quien experimenta la mayoría de los síntomas, el embarazo puede ser una rica experiencia de pareja, un espacio de comprensión y diálogo que les ayudará a estar más unidos y a disfrutar de su hijo.

El padre que participa activamente en el embarazo, que acompaña a su pareja a los cursos psicoprofilácticos y las citas con el médico, y le ayuda a respirar y relajarse durante las primeras horas del trabajo de parto, asimila más fácilmente su rol y disfruta del recién nacido con cariño y ternura.

De usted también depende involucrarlo en el proceso. No piense que el embarazo es un tema de mujeres y costurero. Hable con su pareja, dígale lo que siente e invítelo a participar de las experiencias agradables de la gestación.

Si el padre del bebé no está presente, elija una persona que la acompañe durante los meses venideros. La cercanía y solidaridad de un amigo o familiar serán importantes durante esta época y también al inicio de la maternidad.

El Grupo Editorial Norma la invita a conocer paso a paso las 40 semanas del embarazo y a prepararse a conciencia para la llegada de su hijo. Le propone textos sencillos que responderán a sus preguntas frecuentes, y le brinda estrategias para vivir nueve meses fabulosos.

¡Buena suerte en esta maravillosa aventura de la vida!

ticia un día de descanso y especialmente, cuando todos se encuentren relajados. Evite hablarles de su embarazo cuando se estén discutiendo otros temas o cuando el ambiente esté tenso.

Prepárese para recibir una reacción inicial de rabia o desilusión. Luego, deje que el tiempo haga efecto. Seguramente, pasada la cólera inicial, sus allegados empezarán a entender y quizás le ofrezcan su apoyo.

- La opción de la adopción: cuando todos los caminos parecen cerrarse y no se vislumbran soluciones a los problemas económicos y familiares que el embarazo ha planteado, existe la opción de la adopción.

  En todas las ciudades hay entidades sin ánimo de lucro que les ofrecen apoyo a las mujeres embarazadas y con situaciones personales difíciles. Estas entidades les brindan alojamiento, alimentación, atención médica y psicológica durante los últimos meses de la gestación, a cambio de que ellas les den a sus bebés la opción de vivir y la posibilidad de tener un hogar feliz con unos padres sustitutos.

  Busque en las páginas amarillas de su ciudad o pregúntele a un trabajador social o a un consejero de familia.

No ponga en riesgo su vida

El aborto parece la solución más sencilla al embarazo indeseado. Sin embargo, por tratarse de una práctica clandestina e ilegal en muchos países, generalmente se realiza en condiciones precarias, sin las medidas de higiene necesarias ni los recursos técnicos indispensables. De hecho, algunas de las personas que realizan los abortos son inescrupulosas y ofrecen sus servicios sin haberse formado en una escuela de medicina.

Los resultados de un aborto mal practicado pueden ser:

- La muerte de la madre.
- El daño permanente de los órganos reproductivos de la madre.
- Infecciones graves.
- Hemorragias.

2. ¿Es necesario hacerse revisiones médicas durante todo el embarazo?

Sí, es fundamental. Realizarse las revisiones durante el embarazo garantiza que cualquier complicación sea detectada y tratada a tiempo. Algunas enfermedades típicas de esta condición como la preeclampsia pueden desarrollarse sin que la madre se dé cuenta o se sienta 'enferma' pues sus síntomas se confunden con los de la gestación.

Tan pronto sepa que está embarazada, pida una cita con el ginecólogo. En esta primera visita, él evaluará su estado de salud y de nutrición, determinará los factores de riesgo de su embarazo, le ayudará a calcular la fecha del parto, y le dará algunos consejos para lidiar con las incomodidades propias de los tres primeros meses, como los mareos, los vómitos, el cansancio, entre otros.

Conforme progrese la gestación, el médico se encargará de vigilar el crecimiento y el desarrollo del bebé y realizará diferentes pruebas para determinar que 'todo vaya por buen camino'. En caso de cualquier eventualidad, estará a tiempo para iniciar algún tratamiento médico en aras de que el embarazo termine en un parto exitoso.

Aunque las políticas de salud de cada país son diferentes, se considera que la mujer embarazada debe visitar al médico una vez al mes a lo largo de la gestación.

Dígale al médico la verdad y nada más que la verdad

Para identificar los factores de riesgo de su embarazo y ayudarle a prevenir complicaciones durante los meses venideros, su médico debe conocer en detalle su historia clínica pasada y sus hábitos de vida.

Si usted está tomando medicamentos, si es consumidora de drogas psicotrópicas como la cocaína, la marihuana o el bazuco; si toma tranquilizantes, si bebe alcohol, si fuma, si ha tenido abortos anteriores, si padeció una enfermedad de transmisión sexual, etcétera, debe comentárselo al médico.

Todos estos antecedentes afectan las condiciones de su embarazo y requieren un manejo especial. No le dé pena con su ginecólogo y responda con sinceridad a todas las preguntas que le formule durante la consulta. De su honestidad puede depender el futuro de su hijo e incluso el suyo.

Recuerde: el médico está ahí para ayudarla a traer al mundo a su bebé, no para juzgarla.

3. ¿Es cierto que, por el bien del bebé, debo suspender el consumo de licor?

Es cierto. Diferentes estudios han demostrado que cada vaso de licor que la madre consume no sólo la 'emborracha' a ella sino además al feto. Esos traguitos que la embarazada disfruta y la ponen 'alegre', entristecen e intoxican al bebé y pueden ocasionarle la muerte.

Por supuesto, el riesgo depende de la cantidad de alcohol consumido.

Si usted se tomó un par de cervezas o un aguardiente antes de saber que estaba embarazada, no debe angustiarse. Ellos no le harán daño a su hijo. Pero si continúa con ese hábito y no suspende el licor, las secuelas no se harán esperar.

Las madres alcohólicas, o sea las que consumen más de cinco vasos de licor al día, podrían encontrar en sus hijos una serie de complicaciones derivadas del 'síndrome alcohólico fetal'. Estas incluyen: bajo peso y talla al nacer, sordera, deformidades en la cabeza, la cara, el corazón, las extremidades y/o el sistema nervioso central. También, problemas de conducta, retardo mental y microcefalia (menor desarrollo de la cabeza).

En muchas ocasiones, el consumo de licor provoca parto prematuro y aborto espontáneo.

4. ¿No puedo fumarme ni un solo cigarrillo durante el embarazo?

Si lo que le interesa es el bienestar de su hijo, debe dejar de fumar.

Cuando usted aspira el cigarrillo, el humo entra a su organismo y al vientre. En consecuencia, no sólo usted fuma; su bebé lo hace también.

Se ha demostrado que los fetos de las fumadoras tosen y escupen dentro en el útero a raíz del humo y los venenos del tabaco. Por falta de oxígeno, estos bebés no crecen ni se desarrollan normalmente; pueden nacer con problemas pulmonares, son más propensos a sufrir de alergias y del síndrome de muerte súbita.

A largo plazo, los hijos de padres fumadores pueden presentar problemas intelectuales (son menos inteligentes que los hijos de padres no fumadores), son hiperactivos, especialmente si los padres continúan fumando cerca de ellos, y son más propensos a infecciones de oídos, tuberculosis, alergias a las comidas, asma, baja estatura e indisciplina.

5. ¿Mi esposo también debe dejar el cigarrillo y el licor?

Es fundamental que su compañero deje el cigarrillo. Los fumadores pasivos (es decir, los no fumadores que respiran el humo de los fumadores), tienen riesgo de sufrir enfermedades pulmonares y alergias. En este caso, aún si usted ha dejado el cigarrillo pero su esposo continúa fumando, las probabilidades de que el bebé tenga problemas respiratorios se mantienen. Al fin de cuentas, el humo de los cigarrillos del papá termina llegando a los pulmones de la mamá y del feto.

Hable con su esposo y pídale que se abstenga de fumar dentro de la casa y particularmente, cuando esté junto a usted.

Con respecto al licor, el asunto no es tan serio porque el bebé no resulta directamente afectado con los tragos que se toma el padre. No obstante, si su esposo se vuelve agresivo cuando consume licor, podría maltratarla física o verbalmente. En este caso, deben hablar del tema y tomar medidas antes de que la situación se presente.

6. ¿Es cierto que los bebés de las mujeres adictas a la marihuana, la cocaína u otras drogas nacen con malformaciones?

Si bien todas las drogas psicotrópicas afectan negativamente el embarazo, algunas son más nefastas que otras. Con relación a la marihuana, se sabe que afecta el peso de la madre durante el embarazo y causa malnutrición; provoca vómitos crónicos y perjudica la dilatación durante el nacimiento. El feto, por su parte, puede nacer bajito de peso, tener problemas de la visión y del sistema endocrino.

La cocaína y el bazuco, por su parte, son causantes de partos prematuros y abortos espontáneos. Los hijos de madres adictas a estas sustancias tienden a sufrir de enfermedades pulmonares, diarrea crónica, mal humor, llanto excesivo, indisciplina y problemas neurológicos (por ejemplo: dificultades para poner atención), retrasos en el desarrollo motor y bajos puntajes en los exámenes de inteligencia. Muchas veces, los bebés de madres consumidoras nacen 'adictos' a la sustancia y con síndrome de abstinencia. En estos casos, deben ser hospitalizados cuando nacen; situación que conlleva diversas complicaciones.

Si usted es consumidora de drogas psicotrópicas, ocasionalmente o a diario, debe buscar ayuda profesional inmediata para tratar su adicción.

7. Mis amigas dicen que debo suspender el café y el té ¿será cierto?

Tanto el té como el café y las bebidas colas contienen cafeína, una sustancia estimulante que ha sido relacionada con el aborto espontáneo cuando la madre abusa de ella, en otras palabras, cuando bebe más de cinco tazas al día.

El café y el té además, tienen efecto diurético (hacen que la persona elimine más líquidos, orine más), afectan la absorción de hierro, disminuyen el apetito normal, alteran el sueño y el estado de ánimo de la madre.

Afortunadamente, usted puede consumir té o café descafeinados, que han demostrado ser inofensivos durante el embarazo.

8. Tengo mascotas en casa ¿pueden contagiarme de enfermedades peligrosas?

En algunos casos, sí. Esto no quiere decir que usted deba regalar su gato o vender su perro, pero tendrá que tomar las siguientes medidas:

- Revisar que el animal tenga todas las vacunas al día.
- Llevarlo al veterinario para asegurarse de que no tiene una enfermedad en curso. En particular, que su gato no esté infectado con el virus de la toxoplasmosis.

- Si el animal está sano, suspenderle las salidas solo y las cacerías nocturnas. Los pájaros o ratones que su mascota caza pueden ser portadores de enfermedades.
- Encargar a su esposo u otra persona de limpiar la caja de arena del gato, la jaula de los pájaros y de sacar al perro y recogerle sus necesidades. Usted no debe exponerse a las heces de sus mascotas porque en ellas está la fuente principal de bacterias.
- Lavarse las manos después de consentir a su gato o jugar con su perro.

9. ¿Debo tener precaución con los hornos de microondas? He oído decir que son peligrosos.

Este es un tema de mucha controversia. Sin embargo, las investigaciones no han arrojado resultados definitivos ni a favor ni en contra de estos electrodomésticos.

Más que evitar el uso del microondas, debe verificar el estado del mismo. Si es necesario, llévelo al servicio técnico de su barrio para garantizar que no tiene fugas u otros daños.

10. ¿Por qué debo evitar las radiografías mientras espero a mi hijo? Me tomaron unas antes de saber que estaba embarazada y ahora estoy preocupada.

Los rayos X pueden dañar el sistema nervioso central del bebé.

Sin embargo, estos daños aparecen únicamente tras exposiciones largas, a radiaciones muy fuertes. Dado que los aparatos de radiología que se utilizan hoy en día son sofisticados y emplean dosis bajas de radiación, es poco probable que a su bebé le hayan hecho daño esas radiografías que le tomaron.

Si desea, consulte con su médico y explíquele qué tipo de rayos X le sacaron. Así podrá descartar posibles complicaciones y sentirse tranquila.

11. ¿Algunos productos químicos y de limpieza pueden afectar el desarrollo de mi embarazo? ¿Cuáles?

En general, los productos de limpieza son seguros.

Por otro lado, cuando se trata de prevención de enfermedades, más vale tener la casa aseada que dejar de limpiarla por temor a los detergentes.

No obstante, a la hora de hacer el aseo, evite:

- Inhalar los vapores que desprenden los limpiadores fuertes.
- Evitar los productos que tienen un aviso de toxicidad (una etiqueta de color anaranjado con una calavera negra). Entre ellos, los insecticidas, los venenos para matar ratones y los líquidos para desengrasar el horno.
- Nunca (incluso cuando no se está embarazada) revuelva amoníaco con productos a base de cloro: la combinación desprende unos vapores extremadamente peligrosos.
- Por último, no olvide utilizar guantes de caucho.

12. Tengo que hacer esfuerzos físicos en mi trabajo ¿cuáles podrían ser las consecuencias?

El trabajo físico fuerte ha sido asociado al parto prematuro. Si usted realiza esfuerzos intensos a diario, hable con su supervisor y solicítele un cambio de área a partir de la semana 28 de la gestación.

De ser necesario, consulte a su médico para que le expida una orden de incapacidad.

Si es trabajadora independiente, encuentre la manera de reducir las cargas o comparta su trabajo con alguien más hasta después de la gestación.

13. ¿Puedo hacer deporte durante el embarazo?

No sólo puede sino que debe realizar actividades físicas durante la gestación.

El ejercicio le ayudará a contrarrestar muchos de los síntomas desagradables del embarazo, por ejemplo, el estreñimiento, el cansancio extremo, los dolores de espalda y la hinchazón. Además, le permitirá recuperar rápidamente su figura después del parto y le dará energía.

Antes de realizar su primera rutina de ejercicio, pídale autorización al médico y asegúrese de que la actividad que quiere realizar sea adecuada para usted y su hijo. Las mujeres con embarazos de alto riesgo generalmente deben evitar los esfuerzos físicos y todos los deportes.

Si usted no es una deportista consagrada, debe empezar muy despacio y realizar sólo 30 minutos de actividad física, tres veces por semana. Durante ese tiempo incluirá una fase de calentamiento y estiramiento y una fase de ejercicios suaves para finalizar.

Si usted es una atleta de tiempo completo, probablemente podrá continuar con sus rutinas habituales, a menos de que su disciplina favorita sea peligrosa para el bebé. Por ejemplo: si le gustan las artes marciales, el fútbol, cualquier otro deporte de contacto o de alto rendimiento.

Hable con el médico para identificar los niveles de riesgo y determinar cuándo y cómo practicar su deporte preferido.

Los ejercicios más seguros y recomendables durante el embarazo son:

- Caminar rápido.
- Nadar.
- Montar en bicicleta estática o sobre una caminadora.
- Hacer yoga para embarazadas.
- Hacer los ejercicios de tonificación de la pelvis o ejercicios de Kegel, siempre y cuando no haya riesgo de parto prematuro.

Los ejercicios que se deben evitar son:

- Trotar más de 3 km al día.
- Cabalgar.
- Jugar fútbol o practicar deportes de contacto.
- Participar en carreras de velocidad (exigen demasiado oxígeno y se hacen demasiado de prisa).
- Hacer pesas.
- Ir en bicicleta sobre un suelo húmedo o por rutas donde haga mucho viento (dado el riesgo de caídas y accidentes).

En términos generales, procure hacer su rutina de ejercicios acompañada. En caso de que se presente cualquier incidente la persona que está con usted podrá auxiliarla o llevarla al centro de salud más cercano.

2

El primer trimestre del embarazo

Al final del primer mes de gestación, su hijo tiene el tamaño de un granito de arroz. Siendo aún tan pequeño, posee un corazón que palpita, una boquita que se abre y un cerebro en formación.

Tan sólo cuatro semanas más tarde, ese granito tendrá ojos, lengua y nariz. Habrá desarrollado los brazos, las piernas, las manos y los pies ¡Con todos sus dedos! Sus demás órganos vitales ya existen pero les falta desarrollarse para comenzar a funcionar. A veces, el embrión realiza algunos movimientos que son imperceptibles para usted. La placenta, que se encargará de nutrir al feto, también ha comenzado a formarse.

Al concluir la semana doce, es decir, finalizando el primer trimestre de la gestación, su hijo ya no será un embrión sino un feto que crece a gran velocidad. Habrá alcanzado los 6.5 cm de largo y pesará cerca de 42 g. Su cabeza se verá grande en relación con el tamaño del cuerpo, y habrá comenzado a desarrollar los dientes, las papilas gustativas y las uñas.

Durante estas primeras 12 semanas usted sentirá un alud de cambios físicos y emocionales, la mayoría provocados por las hormonas. Probablemente sentirá mareos y ganas de vomitar, notará alteraciones en la digestión, quizás más gases y acidez, antojos por ciertos alimentos y repugnancia por otros.

Se sentirá cansada e hinchada y aunque su 'barriga' aún pasará desapercibida, podría sentir el vientre un poco más redondeado.

Para este momento su útero tendrá el tamaño de una manzana grande y estará localizado justo encima del hueso del pubis, en la parte baja del abdomen.

14. ¿Qué exámenes de laboratorio van a practicarme? ¿Por qué son necesarios?

Le tomarán varias muestras de sangre, para:

- Identificar cuál es su grupo sanguíneo, si no lo recuerda.
- Realizar la prueba VDRL: sirve para identificar si usted ha padecido enfermedades de transmisión sexual en el pasado.
- Realizar la prueba del VIH: para detectar si tiene sida.
- Realizar la prueba del hematocrito: sirve para diagnosticar la anemia.
- Realizar la prueba de glicemia: permite determinar los casos de diabetes gestacional.
- Realizar la prueba de Torsch: para descartar toxoplasmosis.

También le harán recoger una muestra de orina, para:

- Descartar infecciones urinarias en curso.
- Verificar la cantidad de albúmina en la orina, lo que a su vez permite descartar la preeclampsia. Esta prueba sólo se realiza entre las mujeres que tienen la tensión alta.
- Le realizarán una citología vaginal, para detectar si padece cáncer de cuello uterino.
- Le practicarán ecografías: son exámenes de diagnóstico que permiten ver al bebé en una pantalla y que sirven para descartar cualquier anormalidad. En general se realiza una por cada trimestre del embarazo.

15. ¿Es cierto que debo visitar a mi odontólogo en este periodo del embarazo?

Sí. Es una buena medida de higiene y salud oral porque al hacerlo disminuye las posibilidades de contraer enfermedades de las encías y caries dental.

Durante el embarazo y a raíz del flujo de hormonas que han comenzado a circular, las encías tienden a inflamarse, sangrar y hacerse menos resistentes a la caries y las bacterias.

Si usted adicionalmente ha tenido problemas de encías en el pasado, será más vulnerable y deberá vigilar minuciosamente su higiene oral.

Se ha demostrado que las enfermedades graves de las encías durante el embarazo no sólo pueden ocasionar la caída de los dientes, sino además, parto prematuro. Además de visitar a su odontólogo, recuerde:

- Lavarse los dientes (y también la lengua), después de cada comida principal, con un cepillo suave.
- Aumentar el consumo de alimentos ricos en vitamina C.
- Reducir los dulces y golosinas.
- Utilizar un enjuague bucal cuando sus encías estén inflamadas.

16. ¿Es normal que me sienta tan cansada y somnolienta?

¡Por supuesto! Aunque no se note a simple vista, su organismo ha comenzado la maratónica jornada de prepararse para acoger a un nuevo ser humano. Esto implica, no sólo la formación y el desarrollo del feto, sino además de la placenta.

Es un trabajo extraordinario que cansa porque demanda mucha energía y tiempo.

Durante este trimestre, procure tomarse descansos varias veces al día. Si está en su trabajo, siéntese con las piernas altas (colóquelas sobre una butaca o los directorios telefónicos), y cuando llegue a casa, olvídese de sacudir el polvo de los muebles y dedíquese unos minutos a consentirse y a descansar.

No olvide que la actividad física moderada le ayuda a recuperar energía. Dé una vuelta alrededor de la manzana y lo comprobará.

17. ¿Por qué tengo deseos de orinar tan frecuentemente?

Hay dos causas principales: la primera, que su organismo ha comenzado a retener más cantidad de líquido para aumentar el volumen de sangre. Eso implica que los riñones trabajen y filtren más eficazmente.

La segunda, que el útero se encuentra aún en la pelvis y está haciendo mucha presión sobre la vejiga. A partir del cuarto mes de la gestación, cuando se desplace hacia arriba, usted dejará de sentir esa urgencia de orinar a cada rato.

Si tiene que levantarse varias veces en la noche a orinar, procure restringir los líquidos a partir de las seis de la tarde, pero recupérelos a lo largo del día.

18. ¿Hay algo para las náuseas y los vómitos que me dan en las mañanas?

Sí. Estos son algunos de los mejores consejos de las abuelas para las mamás que padecen de mareos matutinos, vespertinos o durante todo el día:

- Consumir abundantes proteínas (carne, pescado, pollo, lácteos y huevos), y carbohidratos complejos (arroz, pan integral, salvado de trigo), porque ayudan a controlar la sensación de nauseas.
- Mantener sobre la mesa de noche una fruta o unas galletas de soda y comerlas tan pronto como se levanta, antes del desayuno.
- Retrasar el cepillado de los dientes.
- Utilizar un enjuague bucal mentolado para combatir el desagradable sabor que dejan el vómito o las agrieras en la boca.
- Hacer una dieta fraccionada. Es decir, dividir las comidas principales en dos partes, consumir la primera a la hora habitual y la segunda, dos horas después.
- Preferir los platos fríos. La mayoría de las mujeres gestantes sienten más deseos de vomitar después de las comidas calientes. No obstante, si a usted le pasa exactamente lo contrario, obedezca a su organismo y reduzca los alimentos fríos.
- Evitar las comidas grasosas y las que tengan olores fuertes. Tampoco debe cocinar alimentos que expidan demasiado aroma porque las náuseas pueden aumentar.
- Descansar y relajarse.
- Evitar los periodos largos de ayuno.

- Consumir abundantes líquidos para reponer los que se pierden con el vómito.
- Comer sin beber y beber sin comer: procure alejar las bebidas de las comidas, bien sea ingiriendo los líquidos una hora antes o dos horas después de los alimentos sólidos. Esto le ayudará a mejorar la digestión y a disminuir las nauseas.

19. La comida me sienta mal, sufro de gases y de indigestión ¿qué puedo hacer?

Primero, deberá armarse de paciencia. Estos dos síntomas son completamente normales y obedecen a que el proceso digestivo de la madre se ha vuelto un poco más lento por acción de las hormonas. Ahora los alimentos se procesan más despacio y hay mayor producción de gases, pero desde el punto de vista nutricional, aumenta la absorción de nutrientes y el bebé recibe todo lo que necesita para crecer y desarrollarse.

Las principales medidas que puede tomar para luchar contra estos desagradables síntomas son:

- Alimentarse cinco veces al día en porciones medianas o pequeñas, en lugar de hacer tres comidas principales, más grandes.
- Masticar despacio y muchas veces cada bocado.
- Eliminar de la dieta los alimentos que irritan el estómago o que son difíciles de digerir, por ejemplo: los picantes, las salchichas y demás embutidos, el chocolate, el café y las bebidas colas.
- Dormir con la cabecera de la cama levantada. Puede colocarles unos ladrillos a las patas de atrás para elevarla.
- Evitar el cigarrillo.
- Usar prendas de vestir anchas.
- Evitar las comidas que producen inflamación como el brócoli, el repollo y el aguacate, y disminuir la cantidad de harinas.

20. ¿Por qué me antojo de ciertos alimentos y rechazo otros que antes me gustaban?

Existen dos teorías al respecto:

Una dice que se debe a las variaciones hormonales que se acentúan durante los tres primeros meses de la gestación.

La otra, que el organismo de la madre comienza a reclamar aquello que le hace falta y a rechazar lo que no necesita.

No en vano, muchas embarazadas encuentran que el café de la mañana que antes era indispensable para iniciar la jornada, ahora les resulta demasiado fuerte y hostigante.

Así mismo, a otras les puede sobrevenir el gusto por los jugos de frutas y las sopas de verduras que les aportan nutrientes fundamentales.

Los antojos y la repulsión por los alimentos tienden a reducirse a medida que avanza la gestación.

Si usted nota que le provocan alimentos 'chatarra' como golosinas, bebidas colas o paquetes de papas fritas, busque alternativas nutritivas que beneficien su salud y la de su bebé.

21. Mis senos están sensibles ¿es normal que empiecen a cambiar tan pronto?

Es normal. En su organismo ha aumentado el nivel de hormonas, particularmente de estrógenos y progesterona, responsables del exceso de sensibilidad.

Es probable además, que usted esté experimentando cambios en el tamaño y el aspecto de sus senos. Quizás sienta que crecen vertiginosamente, note que la aureola que rodea el pezón se vuelve de color marrón, y que aparecen nuevos vasitos sanguíneos azules por debajo de la piel.

Todos estos cambios hacen parte de la preparación que lleva a cabo su organismo para la lactancia.

La buena noticia es que los dolores y la hipersensibilidad terminarán durante el cuarto mes, y que sus senos retomarán su color y tamaño normales después de la lactancia.

22. ¿Es necesario tomar vitaminas y minerales durante todo el embarazo?

Una dieta balanceada les aporta a la madre y a su hijo la cantidad suficiente de casi todos los nutrientes. Sólo dos de ellos, el hierro y el ácido fólico, necesitan ser reforzados.

Todas las mujeres embarazadas, sin ninguna excepción, deben tomar suplementos de hierro y ácido fólico para prevenir el bajo peso al nacer y las malformaciones en el cerebro del bebé.

Recuerde que los comprimidos multivitamínicos son medicamentos y requieren la prescripción de un especialista. Cuando hay dosis muy elevadas de calcio, vitamina A o vitamina D, por ejemplo, existe riesgo de toxicidad.

Los suplementos de hierro y de calcio no se deben consumir con las comidas porque los alimentos inhiben su absorción.

Si va a tomar suplementos de vitamina A cerciórese de que cada tableta no contenga más de 10.000 UI (las UI, Unidades Internacionales, son la unidad de medida que se utiliza para cuantificar las vitaminas), porque el bebé puede nacer con malformaciones.

23. Me preocupa que me salgan venas várices, ¿cómo puedo evitarlo?

La posibilidad de que le salgan venas várices depende, en una buena medida, de su herencia. Si en su familia otras mujeres han sido afectadas con ellas antes, durante o después de la gestación, usted tiene un factor de riesgo alto.

Existen una serie de medidas que le ayudarán a prevenir la aparición de las várices. Póngalas en práctica, aún si no está segura de que en su familia se hayan presentado otros casos de la enfermedad:

- Aumentar normalmente de peso durante los nueve meses del embarazo.
- Evitar una misma posición durante periodos largos de tiempo. Si trabaja en una oficina, procure levantar las piernas de vez en cuando, colocándolas sobre una butaca o los directorios telefónicos.

- Dormir de medio lado, sobre el costado izquierdo.
- Usar calcetines elásticos.
- Evitar las cargas pesadas.
- Ingerir abundantes frutas, vegetales y agua con el fin de evitar los pujos fuertes cuando va a defecar.
- Aumentar el consumo de alimentos ricos en vitamina C porque desarrollan la elasticidad de las venas.
- Evitar la ropa demasiado apretada.

24. ¿Existe algo para evitar las estrías?

En realidad, no es mucho lo que se puede hacer para evitarlas. La cantidad y el tamaño de las mismas están relacionados con la calidad de la piel de la madre. Si ella ha tenido tendencia a estriarse a lo largo de su vida, probablemente encontrará nuevas 'marcas' a medida que se desarrolle el embarazo y verá que la piel del abdomen sufre el proceso de tensión y estiramiento.

En términos generales, es recomendable tener la piel lubricada con alguna crema rica en vitamina E o aceite de almendras. No vale la pena gastarse una fortuna en productos especializados porque sus efectos no siempre son tan impactantes como su precio.

25. Me están apareciendo unas manchas oscuras en la piel, ¿por qué?

Estas manchas son causadas por la mayor producción de una sustancia llamada melanina, que se encarga de darle color a la piel.

Además de ellas, también habrá notado que las areolas de los pezones, sus genitales y la línea media del abdomen se han oscurecido a medida que avanza la gestación; eso también ocurre como consecuencia del exceso de melanina.

La buena noticia es que ambos síntomas desaparecerán progresivamente después del parto. Sin embargo, los dermatólogos recomiendan la aplicación de una crema con protección solar durante todo el embarazo porque la exposición al sol hace que las manchas empeoren. El embarazo no es la época para asolearse ni broncearse.

26. Me he desmayado un par de veces, ¿estará todo bien?

Probablemente sí, pero debe consultar al médico para descartar alguna complicación grave.

En general, los mareos se deben a la falta temporal de glucosa en la sangre, a una baja de presión arterial o a la anemia.

Una manera de evitarlos y también de reducir los mareos es cambiar las tres comidas principales del día, por cinco o seis comidas más pequeñas. Esta dieta fraccionada ayuda a que los niveles de glucosa no bajen dramáticamente sino que permanezcan estables.

Recuerde además, tomarse un par de descansos en la jornada de trabajo, evitar la misma posición durante ratos demasiado largos y alimentarse sanamente.

27. Siento la boca llena de saliva, pero no soy capaz de tragarla, ¿es normal?

Sí lo es. Este síntoma se conoce con el nombre de ptialismo y afecta a muchas madres en los primeros meses de la gestación, en especial, a las que sufren de mareos matutinos. Aunque no existe una solución definitiva para esta incómoda y babosa situación, las pastillas de menta, los chicles y los enjuagues bucales pueden ayudar a refrescar la boca y brindar sensación de sequedad.

28. No me siento embarazada, ¿por qué?

Usted tiene mucha suerte. Al parecer, ninguno de los síntomas desagradables de los primeros meses del embarazo le ha causado una incomodidad importante. Tal vez sólo se sienta un poco cansada o note leves variaciones en el funcionamiento de su sistema digestivo. Quizás hasta su vientre siga plano.

En este trimestre su hijo es demasiado pequeño para hacerse sentir ¡Tenga paciencia, pronto vendrán las primeras pataditas!

No sentirse embarazada ni detectar la presencia del embrión no significa que algo vaya mal. No sufra imaginando que ha perdido a su bebé a menos que súbitamente experimente unas pérdidas vaginales de color marrón (no es una hemorragia), y que además desaparezcan los síntomas del embarazo incluidos el aumento de tamaño y sensibilidad de los pechos, y el cansancio. En ese caso, deberá acudir al médico de urgencia.

29. Mi esposo se queja de mis cambios de ánimo, pero no puedo evitarlos.

Es imposible controlar los efectos de las hormonas que han comenzado a circular en su organismo. Al igual que en los días previos a la menstruación, durante el embarazo aumenta el flujo hormonal y como consecuencia, el ánimo se altera.

Es normal que la madre se sienta verdaderamente triste o malgeniada sin un motivo en particular.

Algunos factores externos también pueden influir en estos cambios y acentuarlos negativamente. Por ejemplo:

- Que el embarazo llegue de sorpresa, cuando no lo deseaba.
- Que la madre no cuente con el apoyo del padre.
- Que la madre esté preocupada por la evolución del embarazo debido a abortos anteriores.
- Que la familia esté atravesando por una mala situación económica.
- Que se presenten complicaciones de salud y la madre deba guardar reposo.

Cualquiera que sea el motivo, es importante que usted encuentre el apoyo moral de alguna persona y que pueda desahogarse de vez en cuando. Si su marido no se muestra muy comprensivo, busque a una amiga o algún pariente que sepa escuchar y pueda darle soporte emocional.

Si usted se da cuenta de que su estado de ánimo continúa cayendo en picada, hable con su médico porque podría estar pasando por una depresión.

30. A veces sufro con la idea de que mi hijo nacerá enfermo o tendrá anormalidades.

Usted no es la única embarazada que lo siente. La salud y el estado del feto son unas de las preocupaciones más frecuentes de todas las madres.

Afortunadamente, en la actualidad existen muy buenos métodos de diagnóstico que permiten identificar a tiempo las diferentes anormalidades y problemas que pueden aparecer.

Si usted tiene un embarazo de alto riesgo, su médico le practicará todas las pruebas del caso y hará un seguimiento particular de la gestación. Si en su familia existen antecedentes de bebés con malformaciones, no olvide comentarlo con el médico.

Si su embarazo no tiene factores de riesgo especiales y el médico no le ordena una ecografía, manifiéstele sus temores. Es posible que le autorice algún examen o que le ayude a comprender por qué no hay motivo de alerta.

Situaciones de emergencia

Si se presenta cualquiera de los siguientes síntomas, llame a su médico o diríjase al hospital más cercano:

- Fuerte dolor de estómago.
- Ligeras pérdidas vaginales.
- Hemorragia intensa (especialmente si va acompañada de dolores de estómago o de espalda).
- Pérdidas de sangre por los pezones, el recto o la vejiga.
- Escupir sangre al toser.
- Pérdida de líquido por la vagina.
- Brusco aumento de la sed y menores ganas de orinar.
- Hinchazón intensa y repentina de las manos, la cara o la piel alrededor de los ojos.
- Dolor de cabeza intenso que no cesa después de dos o tres horas.
- Ardor al orinar y fiebre.
- Trastornos y visión borrosa.
- Fiebre de más de 38 grados sin importar su causa).

3

El segundo trimestre del embarazo

De la semana 13 a la 28

Al cumplir las 13 semanas de vida, su bebé está completamente formado, mide alrededor de 8 cm y pesa 28 g. De ahora en adelante, sus órganos empezarán a crecer y adquirirán la capacidad de desempeñar sus funciones. Por el momento, el feto puede escuchar la voz de su madre y tiene huellas dactilares únicas.

En la semana 14, logrará formar puños con sus manos y también flexionará los codos y las rodillas. Sólo dos semanas más tarde le aparecerán las cejas y las pestañas que serán de color blanco, y además, empezará a crecerle el cabello.

A las 24 semanas será capaz de chuparse el dedo pulgar, podrá toser y le dará hipo.

Al final del trimestre, es decir, cuando complete las 28 semanas, sus pulmones estarán maduros y todo su cuerpo estará cubierto por una capa de grasa espesa o vernix, que aísla la piel del líquido amniótico.

Si el parto se adelantara a este punto, su hijo nacería con más o menos 37 cm de longitud, pesaría casi un kilo y tendría enormes posibilidades de sobrevivir en una unidad de Cuidados Intensivos.

Ahora, su embarazo será evidente, la cintura desaparecerá y la piel del abdomen se sentirá muy estirada. Por fortuna, las náuseas y vómitos matutinos disminuirán e incluso desaparecerán. Tampoco sentirá deseos de orinar a cada rato y sus senos estarán menos sensibles, aunque continuarán aumentando de tamaño.

A lo largo de este trimestre sentirá sus manos y pies hinchados, podrá padecer indigestión, acidez estomacal y gases, y se sentirá cansada. Hacia las 20 semanas, percibirá los movimientos del bebé en el útero y notará que aumenta de peso con mayor rapidez. Al final del trimestre, encontrará estrías en su abdomen y quizás también en los muslos, y sus pezones estarán más oscuros. Algunas mujeres notarán cambios en el color de la piel de su rostro y de la barriga. Por lo general, durante el segundo trimestre de la gestación las madres padecen estreñimiento y dolor de espalda.

31. Comencé a sentir los movimientos de mi bebé pasadas las 22 semanas. He escuchado que otras mujeres los sienten mucho antes. ¿Puede ser que mi hijo no esté bien?

Usted comenzó a percibir los movimientos de su bebé en la semana 22, pero él ya se movía desde la séptima semana. Aunque se producen de forma constante, los movimientos del feto durante el primer trimestre son casi imperceptibles para la mujer y sólo los verdaderamente intensos, que se producen a partir de la semana 20, llegan a ser evidentes para ella. Tanto las mamás primerizas como las que tienen sobrepeso pueden tardar más tiempo en reconocer las 'pataditas' de su bebé, pero no deben sentirse alarmadas al respecto sino estar atentas a sensaciones que quizá no se definan propiamente como 'patadas'.

Aunque cada mujer percibe a su pequeño hijo de forma especial, muchas dicen que la sensación es la de 'un pajarito que aletea', 'un traqueteo', 'mariposas en el estómago' o 'gases'.

Si después de la semana 22 aún no percibe a su hijo, puede hablar con el médico para que le ordene un examen llamado 'sonograma'. De cualquier modo no se alarme, tenga en cuenta que si el latido del corazón del bebé es potente y usted no presenta ningún otro síntoma de alteración del embarazo, todo va por buen camino.

32. Hay días en que siento al bebé muy activo y otros en que escasamente lo percibo. ¿Es normal?

Es muy normal. Recuerde que sólo los movimientos fetales más intensos pueden ser percibidos.

Por ejemplo si su hijo se desplaza dentro del útero dándole la espalada a la barriga, será más difícil notarlo. Por otra parte, si usted se encuentra ocupada y camina, el bebé se sentirá arrullado, logrará quedarse dormido y luego, en la noche o la madrugada, mientras usted descansa, deseará moverse otra vez.

Si le preocupa no haber sentido al feto, tómese un vaso de leche u otra merienda ligera en la tarde y luego recuéstese durante dos horas. Quizás, la relajación sumada a la actividad digestiva ponga en marcha al bebé.

33. Siento que me he vuelto muy torpe, los objetos se me resbalan de las manos y las cosas se me olvidan.

La sensación que tiene es real y completamente normal. Los cambios hormonales que ha provocado el embarazo pueden influir en su capacidad de concentración y afectar su sentido de organización. No se angustie, pero tome medidas. Por ejemplo, haga una lista con las citas y actividades cada semana, péguela en la nevera y léala a diario. Así, nada se le pasará por alto.

En cuanto a la 'torpeza' de sus manos, ocasionada por la relajación de las articulaciones y la retención de líquidos, no se alarme pero hágase consciente de ella e intente manejar los objetos con cuidado. Si no logra evitar que las cosas se le caigan, pídale a alguien que le ayude a limpiar el polvo de su casa, que se encargue de organizar los vasos, la vajilla y demás elementos que se pudieran romper.

34. ¿Por qué tengo tanta picazón en la barriga?

Porque la piel de su abdomen se está estirando y dicho proceso la reseca.

Durante el embarazo, además, hay mayor volumen de sangre circulando en el organismo y por lo tanto, mayor sensibilidad en la piel. Es normal que sienta rasquiña pero no se rasque. Aplíquese una crema e intente mantener la piel hidratada.

Si siente que la picazón se generaliza por el cuerpo y se vuelve intolerable, consulte con su médico porque podría ser el síntoma de una enfermedad hepática llamada colestasis obstétrica.

35. Sufro de hemorroides y de estreñimiento, ¿qué medidas puedo tomar?

El estreñimiento se puede presentar en cualquier momento del embarazo, pero se acentúa hacia el final. Ciertas hormonas que intervienen en la gestación hacen que los músculos del intestino se relajen y 'trabajen más lento'. Entonces, la materia fecal tiende a estancase y usted siente dificultad para hacer la deposición.

Por fortuna, existen varias estrategias para aliviar los síntomas y regularizar la actividad intestinal. Póngalas en práctica:

- Prefiera los alimentos ricos en fibra. Compre pan integral en lugar de pan blanco; consuma las frutas enteras en lugar de jugos; tome las verduras con cáscara (siempre que sea posible); y coma uvas o ciruelas pasas de vez en cuando.
- Aumente el consumo de agua. Recuerde que el agua afloja las heces y facilita su recorrido por el intestino. Si lo desea, puede añadirle unas gotitas de zumo de limón o de naranja a cada vaso.
- Salga de caminata. La actividad física moderada ayuda a hacerle frente al estreñimiento. Media hora de caminata diaria a paso rápido será muy efectiva.

Si ninguna de las medidas anteriores le funciona, prepare una mezcla de jugo de naranja y dos cucharadas de salvado de trigo, y tómesela antes del desayuno.

No ingiera medicamentos laxantes, aún si son naturistas, salvo si su médico los ordena.

Si padece de hemorroides, emplee las estrategias anteriores y también procure:

- Dormir y reposar de medio lado, no de espalda, para evitar exceso de presión sobre las venas del recto.
- Al hacer la deposición, no colocar los pies en el suelo sino sobre un taburete y evitar los pujos fuertes.
- Tomar baños de asiento calientes, dos veces al día.
- Colocar compresas heladas para el dolor.
- Limpiar con agua la zona perineal (de la vagina al recto),

de adelante hacia atrás, después de cada deposición. Secarse con papel higiénico blanco.

36. Estoy muy gorda y no me gusta mi nuevo aspecto.

Es lógico que los cambios físicos que llegan con el embarazo la hagan sentirse diferente y que extrañe su cintura y sus curvas. Pero recuerde: usted no está gorda, no tiene exceso de peso ni se ve fea. Está embarazada y durante nueve meses, su vientre es el hermoso hogar de su bebé.

La figura de la mujer embarazada es bella aún si sus medidas han sobrepasado los famosos 90-60-90. Mírese en el espejo y siéntase orgullosa de su embarazo pues tiene el mejor motivo del mundo para verse distinta.

No pierda de vista que, si se alimenta bien durante el embarazo y come lo que su organismo y su bebé necesitan, después del parto recuperará sus formas sin dietas estrictas ni privaciones.

A partir del quinto mes, cuando sus pantalones no le cierren y sus blusas se le vean demasiado apretadas, abra el guardarropa de su compañero... Verá cómo sus suéteres, camisas y pantalones deportivos podrán formar parte de su nueva vestimenta.

Para casos especiales, use vestidos de cintura ajustable, pantalones de franela de maternidad y blusones. Recuerde que las prendas de un solo tono favorecen más que los estampados.

Durante el embarazo, la comodidad es fundamental. Olvídese de los tacones altos y las prendas muy ajustadas. Prefiera las fibras naturales como el algodón, y sáqueles el mejor provecho a los accesorios. Las pañoletas, las carteras, las joyas y los zapatos bonitos serán el mejor aliado de su apariencia.

Su cabello también puede ayudarle a reforzar su imagen positiva. Arréglelo con frecuencia pero evite las tinturas y las permanentes.

37. Me agota hacer la limpieza del hogar, ¿qué hago?

Escuche a su organismo y deténgase cuando la fatiga le impida continuar. Si es de las que acostumbra tener su casa como una tacita de plata, hágase a la idea de ver un poco de polvo sobre los muebles y relájese. Su estado físico y el de su hijo son más importantes que los pisos y paredes inmaculados.

No realice toda la limpieza de un solo golpe. Hágala poco a poco, en dos o tres días, o en caso de que no disponga sino de uno, permítase varios minutos de descanso entre actividad y actividad.

38. Me sangran demasiado las encías, ¿debo consultar al odontólogo?

Sí. Es recomendable visitar al odontólogo durante el embarazo porque el aumento de la cantidad de sangre en el organismo de la madre, sumado al efecto de las hormonas, hace que las encías se inflamen, especialmente junto a los bordes de los dientes. Esto puede dificultar el aseo oral, favorecer la acumulación de residuos de alimentos y posteriormente, la aparición de caries y gingivitis. No espere a que el problema se presente, mejor consulte a su odontólogo.

39. No logro encontrar una posición cómoda para dormir, ¿qué puedo hacer?

La posición ideal para dormir durante el embarazo es de costado, ojalá el izquierdo, con una pierna cruzada sobre la otra y una almohada en medio de ellas. Si usted nunca ha dormido de medio lado, no se preocupe, pronto se acostumbrará y sentirá que en esta posición descansa más y se levanta cómoda y relajada. Por razones obvias, evite dormir boca abajo, pero también absténgase de hacerlo boca arriba, porque esta posición implica una sobrecarga de peso para la espalda, los intestinos y la vena cava inferior.

40. He comenzado a sentir fuertes dolores de espalda y no me siento capaz de cargar ciertos objetos pesados que antes sí levantaba.

El dolor de espalda no es gratuito. De hecho, usted tiene más de un buen motivo para quejarse. En las embarazadas, los músculos de la pelvis empiezan a relajarse con el fin de permitir el paso del bebé durante el parto. Adicionalmente, el peso de la barriga genera desequilibrio en el organismo de la madre y ella, para compensarse, echa los hombros hacia atrás y el vientre al frente.

Todos estos elementos generan mala postura, tensión muscular y dolor.

Para ayudarse un poco, usted puede:

- Levantar cargas moderadas, no pesadas.
- Repartir el peso de lo que tiene que cargar. Por ejemplo, separar el mercado en dos bolsas de igual peso y llevar cada una en una mano.
- Utilizar zapatos planos o de tacón bajo.
- Aprender a agacharse. Para hacerlo, imagínese que lleva una mini falda muy corta y no quiere que le vean la ropa interior: estabilice primero el cuerpo separando las piernas al ancho de los hombros y contrayendo los glúteos. Luego doble las rodillas y baje. Recuerde: ¡Nunca se doble de cintura!
- Si debe permanecer de pie durante un rato largo mientras cocina, por ejemplo, coloque un pie sobre un taburete o encima de los directorios telefónicos. Así evitará que la parte baja de la espalda se doble hacia adentro aumentando la molestia.
- Al sentarse, elija una silla de espalda recta, que tenga brazos y un cojín duro. No cruce las piernas, y si puede, coloque los pies sobre un taburete o los directorios telefónicos. Procure no estar sentada por demasiado tiempo. Si trabaja en una oficina, levántese de su escritorio y dé una vuelta corta cada hora.
- Dormir sobre un colchón duro o colocar una tabla debajo del colchón, si es blandito.

41. Me incomoda el cinturón de seguridad del auto. ¿Debo usarlo de todas formas?

Sí. Le sorprenderá saber que la principal causa de muerte entre las mujeres embarazadas no son las complicaciones del parto sino los accidentes automovilísticos. Por su bien y el de su niño, haga uso del cinturón cada vez que se suba a un auto.

42. Tengo mucho temor al parto, no sé si podré soportarlo.

Claro que podrá. De cualquier modo, la mejor manera de prepararse es estudiando en qué consiste el parto, cuáles son sus etapas y cómo puede contribuir usted para que la experiencia sea más llevadera.

Consulte con su ginecólogo o en el hospital más cercano a su casa la información acerca de los cursos de preparación para el parto (también llamados cursos psicoprofilácticos).

Estas clases le ayudarán a comprender cómo ocurre la dilatación del cuello uterino, qué posiciones son las más indicadas para contener el dolor de las contracciones, qué actividades realizar en casa cuando empieza el trabajo de parto, y en qué momento avisar al médico o salir para el hospital; además aprenderá ejercicios físicos para tonificar los músculos que intervendrán durante el parto, y técnicas de respiración para manejar los dolores.

Si usted llega al parto sabiendo lo que le va a ocurrir, no tendrá miedo de las contracciones ni creerá que algo 'anda mal'. Entender lo que le está pasando a su organismo y a su bebé le ayudará a manejar la ansiedad y a saber cómo actuar en caso de una emergencia.

Algo más acerca de las clases de preparación para el parto

Prácticamente en todos los hospitales o clínicas, así como las compañías públicas de salud, y las aseguradoras privadas hay cursos gratuitos de preparación para el parto.

Es muy posible que al comenzar el séptimo mes de gestación su doctor le indique dónde acudir para inscribirse. Si no lo hace, pregúntele y asegure su cupo.

Los cursos de preparación para el parto están dirigidos a las parejas, no sólo a las madres, pues se considera que la misión de dar a luz a un hijo es mucho más fácil para la mujer que cuenta con el apoyo de otra persona, bien sea su marido, un pariente o una amiga.

Las clases de preparación para el parto tienen dos objetivos principales: explicarle a usted y a su acompañante en qué consiste el trabajo de parto, qué son las contracciones, qué hacer cuando se presentan e identificar signos de una emergencia. Además, tienen una sección práctica de ejercicios.

En la fase teórica usted podrá preguntar todo lo que le inquieta y recibir no sólo las respuestas de la enfermera o el médico que estén a cargo del curso, sino de las otras parejas.

Si durante estos nueve meses ha tenido la sensación de que nadie comprende sus preocupaciones o de que no tiene con quién hablar acerca de sus vivencias del embarazo, en las clases hallará un nuevo grupo de amigos y amigas abiertos a escucharla e intercambiar experiencias.

La parte práctica del curso le mostrará técnicas de respiración y ejercicios físicos para tonificar los músculos que intervienen en el trabajo de parto. Todo esto en aras de ayudarle a controlar el dolor y reducir la ansiedad. Los ejercicios se realizan en pareja y tanto la madre como el padre, o el acompañante, tienen una misión importante.

Si el padre de su hijo no puede asistir con usted, procure elegir a alguien de confianza, muy comprometido y que le acompañe a todas las sesiones.

4

El tercer trimestre del embarazo

Al iniciar el séptimo mes de la gestación, su bebé está casi completamente formado. Ahora sus pequeños órganos empezarán a crecer y a funcionar, aunque elementalmente.

Alrededor de la semana 30 su hijo ya pesa 1,5 kg y mide 40 cm. Le crecen las uñas, las cejas y pestañas, y empieza a salirle el cabello.

Sólo tres semanas más tarde lucirá llenito y rozagante porque la grasa ha comenzado a depositarse bajo su piel. En este punto, mide entre 45 y 50 cm, y pesa alrededor de 2 kg. ¡Gana 14 g cada día!

Cuando el embarazo llegue a término, es decir, en la semana 40, el bebé se habrá encogido de piernas y ya no tendrá suficiente espacio para moverse en el útero. Poco a poco encajará su cabeza contra la pelvis de la mamá, en posición de salida y el cordón umbilical medirá 60 cm.

En este trimestre le empezará a preocupar el tamaño de su barriga, los dolores de espalda, las hemorroides, el estreñimiento, las ganas de orinar permanentes, la hinchazón de los pies y nuevamente, el cansancio. Empezará a obsesionarse con la idea del parto y querrá arreglar su casa para la llegada del bebé...

Estará ansiosa con la idea de dar a luz y con frecuencia pensará en las contracciones y los dolores.

No obstante, estará feliz con la idea de conocer a su hijo y descansar de la ardua labor de llevarlo en su vientre durante estas 40 semanas.

43. Tengo un flujo blanco; no me pica ni me duele, pero me angustia pensar que se trate de una infección.

Ese aumento del flujo vaginal o leucorrea es normal en el embarazo y se debe a las hormonas placentarias. Es muy similar al flujo que suele aparecer antes de la menstruación y que tiene las siguientes características: es blanco, semi líquido e inodoro.

Si la presencia de este flujo la hace sentir muy incómoda, procure:

- Utilizar protectores o toallas sanitarias sobre la ropa interior. Pero evite los tampones.
- Asear meticulosamente la vagina con un jabón suave (para bebé o de avena), y secarla bien después del baño.
- Utilizar ropa interior de algodón.
- Evitar los pantalones apretados, los jeans y las prendas de *lycra*.
- Consumir yogur a diario (fíjese en las etiquetas y compre el que le aporte cultivos biológicos).

Si las características del flujo cambian y éste adquiere un color amarillo o verde, si huele mal o le ocasiona molestias, debe consultar al médico porque posiblemente se trata de una infección.

44. Siento los tobillos y los pies muy hinchados, ¿qué hago?

Su organismo está reteniendo líquidos para producir más sangre, y ese aumento implica algo de hinchazón. De hecho, algunas mujeres se quejan de esta molestia no sólo al final del embarazo sino desde el primer o segundo trimestre.

No tiene por qué preocuparse. Se ha estudiado que la hinchazón de los pies y los tobillos se acentúa en los días de calor, tras permanecer demasiado rato de pie o sentada, y al caer la tarde.

Para controlarla, recuéstese un rato, de medio lado, preferiblemente sobre el costado izquierdo, o siéntese con los pies en alto.

La hinchazón deberá atenuarse de un día para otro.

Por increíble que parezca, beber agua también puede ayudarle a disminuir esta incómoda sensación. Debe tomar ocho vasos diarios, además de las bebidas que consume normalmente. Por otro lado, conviene que reduzca la cantidad de sal y enlatados en sus comidas.

Esté alerta y consulte con el médico si la hinchazón no disminuye y usted experimenta alguno o varios de los siguientes síntomas: jaquecas, mal genio, visión borrosa, menor cantidad de orina o cualquier otro indicio del aumento de la presión arterial. Podría tratarse de una preeclampsia.

45. Se me está olvidando todo, ¿qué me pasa?

Se ha descubierto que el cerebro de la mujer embarazada se reduce de tamaño en el último trimestre de la gestación. Eso no implica que usted vaya a perder inteligencia, sino que va a experimenar dificultad para recordar ciertas cosas o para concentrarse.

Al parecer, las hormonas ejercen cierta influencia sobre las células del cerebro, disminuyendo el contacto entre ellas y su interacción.

Por fortuna, todo volverá a la normalidad después del parto y usted será capaz de recordar las fechas de cumpleaños, las citas importantes y todas las pilatunas de su hijito.

Mientras termina la gestación, procure anotar todas sus reuniones importantes y delegar aquello que sea difícil de recordar.

46. ¿Por qué tengo tanto calor y sudo más que en los meses anteriores?

Aún cuando usted esté sentada descansando, sus órganos internos trabajan 'a toda máquina' para satisfacer las necesidades del bebé que está creciendo en su vientre. Ese aumento de la actividad interna, es decir, del metabolismo, trae como consecuencia la sensación permanente de calor y mayor sudoración.

Para mantenerse fresca, procure usar ropa ligera de materiales suaves como lino o algodón. Además, manténgase alejada de los rayos del sol y de los ambientes demasiado acalorados.

Si le gusta hacer ejercicio, hágalo temprano en la mañana, antes de que la temperatura del ambiente suba, o al caer la tarde; beba ocho vasos de agua diarios, además de las bebidas que consume normalmente, y evite el café, el té, los licores y las bebidas muy dulces porque la deshidratan.

Procure bañarse más de una vez al día, con agua tibia. Si vive cerca del mar o de un río, dése chapuzones de vez en cuando. Si siente que la temperatura de su casa es insoportable y no tiene ventilador, visite un centro comercial, una biblioteca o cualquier otro establecimiento público climatizado.

47. A veces, cuando me río o toso, no puedo contener la orina. ¿Algo anda mal?

Haga el siguiente experimento: llene una bolsa de plástico con agua y ciérrela con un nudo apretado. Póngala en el vertedero de la cocina y colóquele una fruta grande encima. ¿Observa como el agua queda bajo una intensa presión? Ahora, oprima la bolsa. ¿Qué pasa? Algunas gotas de agua se escapan a través del nudo.

A su vejiga le está pasando exactamente lo mismo que a la bolsa: está llena de orina, con un bebé haciéndole presión constantemente. Si usted tose, estornuda o se ríe es como si le hiciera más presión. Por eso la orina sale.

Es un síntoma completamente normal. Sin embargo, asegúrese de que lo que está perdiendo sea orina. Huélala y cerciórese. Podría tratarse de una fuga de líquido amniótico, y en ese caso, debe llamar al médico inmediatamente.

Si los indiscretos escapes de orina le preocupan, ensaye algunas de las siguientes técnicas:

- Orinar más veces al día. Si usted no tiene la vejiga demasiado llena, la orina no se escapará tan fácilmente cuando se ría. Vaya al baño cada una o dos horas, aunque no sienta muchas ganas de orinar.
- Evite los alimentos que irritan la vejiga como las frutas cítricas, el tomate, los picantes, el café, el té, las bebidas gaseosas y todos los licores.
- Practique los ejercicios de Kegel (ver recuadro), para fortalecer los músculos de la pelvis.
- Consuma alimentos ricos en fibra. Así sus deposiciones serán suaves y no tendrá que pujar fuerte cuando vaya al baño. Esa fuerza también afecta y presiona la vejiga.

Ejercicio de Kegel

Es un ejercicio muy sencillo que si se practica con regularidad garantiza el fortalecimiento de los músculos de la pelvis y evita que se escapen gotas de orina. Así mismo, disminuye las posibilidades de desgarro de la vagina durante el parto.

Para realizarlo, contraiga los músculos de la pelvis por uno o dos segundos (como si quisiera trancar la salida de orina). Luego relájese. Haga veinte repeticiones, cinco veces al día.

48. Tengo sueños extraños y demasiado reales sobre el bebé. Temo que me esté volviendo loca.

Al contrario: todos esos sueños y fantasías le están ayudando a manejar la ansiedad que le produce la llegada de su hijo.

Los sueños son una forma de transformar esas preocupaciones en fantasías y así liberar el estrés de la mente.

Analice sus sueños:

Si ha soñado que su hijo se le pierde en el supermercado, que se le olvida recogerlo en la escuela, que no recordó comprarle los pañales, quizás esté preocupada por las responsabilidades de ser mamá y tenga miedo de que algo salga mal.

Si ha soñado con estar encerrada, en la cárcel o caminando por un callejón sin salida, probablemente le angustie perder su libertad tras la llegada del bebé.

Si sueña con situaciones de peligro, animales o personas que quieren atacarla, posiblemente se siente frágil y vulnerable a raíz de su estado.

Si sueña con el aspecto físico de su bebé, si es niño o niña, el color de sus ojos o su pelo, el tamaño de su cuerpo, sus habilidades etcétera; quizá le preocupan la salud o el aspecto físico de su hijo. Tal vez tiene miedo de que nazca con alguna discapacidad, que sea poco inteligente o tenga los rasgos físicos de la familia del papá y no de la suya.

Si sueña que su marido se va con otra mujer o que tiene una aventura, usted está preocupada porque el aspecto de su cuerpo le resulte menos atractivo a su pareja.

Si sueña con relaciones sexuales, agradables o desagradables, quizás está confundida con los cambios que el embarazo ha desencadenado en su vida íntima.

Si sueña que come demasiado, consume alimentos prohibidos, que se embriaga o se le olvida beber leche, posiblemente esté agobiada con los cambios en su dieta y en su aspecto físico.

No asuma los sueños como premoniciones. Trate de comprender qué preocupación o ansiedad esconde cada uno y si puede, coméntelo con su esposo, un pariente o una amiga. Hablar acerca de lo que le angustia, le servirá para desahogarse, compartir sus sentimientos y miedos, y recibir los consejos de alguien que la aprecia.

49. Comienzo a sentir dificultad para respirar, ¿mi hijo podría dejar de recibir suficiente oxígeno?

No. Durante el embarazo su organismo ha puesto en marcha mecanismos para que la respiración sea eficiente a lo largo de los nueve meses y el oxígeno se aproveche mejor.

Es normal, sin embargo, que usted sienta la necesidad de respirar más profundamente y tomar más aire. Esto se debe a que el bebé está haciendo presión sobre el diafragma y los pulmones.

Dos o tres semanas antes de dar a luz notará que esta presión disminuye porque su hijo se desplazará hacia abajo y se estará acomodando en la pelvis, cabeza abajo.

Cuando se sienta un poco ahogada, recuerde sentarse con la espalda recta (sin jorobarse ni dejarse caer 'desparramada' sobre el sofá), y trate de dormir semisentada, con varias almohadas de apoyo.

Si la falta de aliento se vuelve una situación extrema y usted respira más rápidamente, nota que sus manos, labios y pies están azulosos, y le duele el pecho, diríjase al servicio de urgencias del hospital más cercano.

50. A veces siento que el útero se endurece, ¿qué ocurre? ¿Está todo bien?

Usted está experimentando sus primeras contracciones. Se les llaman contracciones de Braxton Hicks y si bien no servirán para expulsar al bebé de la matriz, son una forma de preparación. Su organismo se ejercita para el parto como los buenos atletas lo hacen para las competencias.

Estas contracciones se presentan a partir de la semana 20, aunque puede iniciarse un poco antes en las mujeres que van por su segundo o tercer embarazo. En general no son dolorosas y duran entre 30 segundos y dos minutos.

Si usted percibe que estas contracciones aumentan y empiezan a presentarse cada 15 minutos, acompañadas de dolor pélvico o de espalda, avise a su médico pues podría tratarse de un parto prematuro.

51. ¿Es cierto que no debo bañarme después de la semana 34 para evitar una infección?

'El aseo es salud' dice la premisa, y con mayor razón durante el embarazo. Usted puede bañarse cuando lo desee, incluso horas antes del parto, si no ha roto el saco de aguas (la fuente).

La creencia de que la mujer embarazada podía contraer una infección vaginal por el agua de la ducha está revaluada. Se ha demostrado que el tapón mucoso aísla al bebé del medio externo y lo protege de los microorganismos.

Por supuesto, se deben tomar ciertas precauciones en el cuarto de baño para prevenir accidentes. Procure colocar el jabón en una jabonera y ponga un tapete de caucho antideslizante.

52. Tengo congestión nasal, incluso con hemorragias. ¿Debo informarle a mi médico?

No. Este síntoma es normal. Recuerde que su organismo está produciendo más cantidad de hormonas y que ellas están desencadenando todo tipo de cambios. A nivel de los tejidos, por ejemplo, hacen que aumente la cantidad de fluidos, y en consecuencia, que usted sienta los pies muy hinchados o la nariz congestionada.

Para hacer más llevadera la incomodidad, recuerde:

- Evitar los perfumes.
- Ponerse gotas de suero fisiológico en la nariz para destaparla.

- Sonarse suavemente.
- Estornudar con la boca abierta para que toda la presión del estornudo no se ejerza sobre su congestionada nariz.
- Evitar las gotas nasales para el resfriado. La mayoría de éstas contienen sustancias peligrosas como la pseudoefedrina.

Si la nariz empieza a sangrarle, no eche la cabeza hacia atrás. Siéntese, relájese y con sus dedos presione con fuerza el tabique durante cinco minutos. Mientras tanto, respire por la boca.

Si las hemorragias son intensas o no se detienen al cabo de diez minutos de comprimir el tabique, consulte al médico.

53. A medida que se acerca la fecha del parto, el bebé deja de moverse. ¿Es una señal de alerta?

Por lo general, no. Su bebé ha crecido y el espacio del útero ya no le resulta ni tan cómodo ni tan amplio como al principio de la gestación.

Cuando el embarazo llega a término, la cabecita del niño se acomoda en la pelvis de la madre, alistándose para salir. Esta posición es menos conveniente para moverse, dar pataditas o puños.

De todas maneras es importante verificar a diario que el bebé esté activo. Para hacerlo, realice la siguiente prueba:

Mire el reloj y anote la hora. A partir de ese momento empiece a contar las actividades del bebé (pueden ser patadas, ondulaciones, sacudidas o vueltas). Termine el ejercicio cuando haya llegado a 10 movimientos. Si pasada una hora no ha llegado a los 10 movimientos, coma algo y recuéstese. Siga la cuenta. Si pasada otra hora no los percibe, debe comunicarse con su médico.

Aunque la falta de actividad no significa que haya una amenaza de aborto, puede ser señal de que el feto está sufriendo.

54. ¿Por qué algunos bebés nacen antes de tiempo o se pasan de la fecha?

En la mayoría de los casos, ni se atrasan ni se adelantan: están a tiempo. Fueron sus padres o el médico quienes se equivocaron al hacer los cálculos o recordar la fecha de la última menstruación. Los estudios demuestran que el 70 por ciento de las mujeres que creían llevar más de 40 semanas de gestación habían hecho mal los cálculos iniciales y estaban justo a término.

Para hablar de las causas de los verdaderos retrasos o adelantos es necesario partir de una premisa: cada mujer y cada bebé son diferentes. Mientras que unos fetos se encajan rápidamente en la pelvis y su madre borra el cuello y dilata en cuestión de horas, otros pueden tardar semanas y aún meses en el mismo proceso.

Hoy en día, pocos ginecólogos u obstetras dejan avanzar un embarazo más allá de las 42 semanas porque el feto empieza a sufrir en el útero y puede tener complicaciones tras el nacimiento. Para inducir el parto, el doctor usa medicamentos como la Prostaglandina E2 en gel o supositorios vaginales, entre otros. Si eso no funciona, recurre a la cesárea.

El parto prematuro

Las causas del parto prematuro varían considerablemente de una mujer a otra. Estas son algunas de las principales:

- Consumo de alcohol, drogas o cigarrillos durante la gestación.
- Malnutrición de la madre y poco aumento de peso en el embarazo.
- Infecciones vaginales o enfermedades venéreas.
- Cuello uterino incompetente: es un término médico que se usa para indicar que el cuello del útero se dilata antes de tiempo por la presión que ejerce el bebé.
- Enfermedades crónicas como hipertensión, diabetes, enfermedad renal, hepática o cardiaca.
- Estrés.
- Edad: son más frecuentes en las adolescentes y en las mujeres mayores de 35 años.
- Historia de partos prematuros.

55. He oído decir que las aguas de hierbas son muy buenas para el trabajo parto, en especial si uno se demora en dilatar, ¿es cierto?

No. Todo lo contrario. Las aguas de hierbas tienden a estancar el trabajo de parto, haciéndolo aún más complicado. Además, se ha demostrado que muchas de las mujeres que toman aguas de hierbas tienen dificultades en el alumbramiento porque su placenta no sale completa.

Si la madre no dilata, el médico tomará las medidas adecuadas de acuerdo con la causa del problema.

En cualquier caso, es imprescindible confiar en el personal del hospital y pensar que todo va a salir bien. Sentirse relajada y programarse positivamente con respecto a la experiencia de dar a luz es mucho más eficiente que cualquier 'agua milagrosa'.

56. El bebé no ha nacido y mis senos han comenzado a expulsar una sustancia amarilla. ¿Tendré problemas con la lactancia?

No. Esa sustancia amarilla que sus senos han comenzado a producir se llama calostro y es la precursora de la leche materna. Tiene gran importancia para su hijo.

El calostro es rico en proteínas, minerales y vitaminas, ayuda a reforzar el sistema de defensas de su hijo y le permite protegerse de los microorganismos del medio exterior. Además, cubre las paredes de su estómago y lo prepara para digerir la leche materna.

5

Sexualidad y embarazo

El embarazo ha venido provocando todo tipo de cambios en su manera de sentir, de alimentarse, de ejercitarse y por supuesto, de ver el presente y el futuro. Prácticamente ningún aspecto de su vida sigue siendo el mismo, y la sexualidad no es la excepción.

Para algunas parejas, el sexo mejora con el embarazo; para otras, resulta incómodo, y para unas cuantas, desaparece hasta el nacimiento del bebé.

La ansiedad por la llegada del nuevo miembro de la familia, así como los desafíos de ser padres, y los evidentes cambios hormonales y físicos en el organismo de la madre afectan el deseo sexual de la pareja.

En los primeros meses, por ejemplo, las náuseas, la sensibilidad en los senos, los vómitos y el cansancio de la madre son 'mata pasiones' seguros. Pero, hacia el cuatro mes de gestación, cuando las molestias concluyen, y toda la región de la pelvis se encuentra más irrigada con sangre y por ende más sensible, puede sobrevenir un torbellino de pasiones y una nueva luna de miel.

Hacia el final del sexto mes, cuando la barriga ha crecido de modo considerable, las relaciones se vuelven más acrobáticas e incómodas y la pasión tiende a decaer.

De cualquier modo, no hay reglas matemáticas ni hay situaciones 'normales' o 'anormales'. Cada pareja experimenta sus propios cambios y debe tratar de acoplarse a ellos mientras el bebé nace.

Si usted ha descubierto que durante este periodo hay caricias que le molestan, posiciones que le incomodan o simplemente, que no tiene ganas de hacer el amor, hable con su compañero. Es mejor dialogar que llenarse de contrariedades. Explíquele lo que siente y trate de llegar con él a un punto de mutua comprensión.

¡Ah, pero nunca le ponga el tema del sexo en la cama!

57. ¿Las relaciones sexuales pueden hacerle daño al bebé o provocar un aborto?

No. El bebé está totalmente protegido por el líquido amniótico. Gracias al tapón mucoso que sella el útero de la madre, ni las bacterias del exterior ni el semen del padre pueden alcanzarlo.

Sólo en casos de embarazos de alto riesgo o en los de mujeres con historia de abortos espontáneos previos, el médico podría prohibir las relaciones sexuales durante el embarazo, o al menos, limitarlas en su cantidad.

58. ¿El orgasmo de la madre puede inducir el parto?

Sí, pero solamente cuando el embarazo está muy avanzado y el cuello del útero de la madre está 'maduro'. Antes de ese punto, no produce ningún efecto.

Las contracciones normales que desencadena el orgasmo de la madre se hacen más intensas a medida que el día del parto de acerca. No en vano, cuando un bebé está retrasado, mucha gente les recomienda a los futuros padres hacer el amor.

59. ¿El bebé se da cuenta cuando mi pareja y yo hacemos el amor?

No se da cuenta, no ve nada ni tampoco lo va a recordar. Cuando los padres hacen el amor, el bebé puede sentir una sensación de arrullo gracias a los movimientos rítmicos del acto sexual.

Si usted siente que su bebé patalea con más fuerza después del orgasmo, no sienta culpa ni piense que lo ha traumatizado. Ese aumento de su actividad (que puede venir acompañado de un latido cardiaco más rápido), son consecuencia del cambio hormonal que acompaña al coito.

60. ¿Nuestro hijo podría contraer una infección con la penetración?

No. Recuerde que el útero está aislado y protegido del mundo exterior por el tapón mucoso.

Sin embargo, algunos ginecólogos recomiendan la utilización del preservativo durante los últimos tres meses de la gestación, debido a que el cuello uterino está madurando, podría sangrar y volverse vulnerable. Además porque podría romperse el saco de aguas (la fuente), dejando al bebé a merced de los microorganismos del exterior.

Si su compañero tiene una enfermedad de transmisión sexual deben suspender las relaciones sexuales inmediatamente y consultar al médico.

61. Las posiciones que antes nos gustaban ahora son demasiado incómodas. ¿Qué podemos hacer?

El embarazo es una buena ocasión para variar y probar nuevas formas de hacer el amor.

A partir del cuarto mes de la gestación, cuando la barriga empieza a interponerse entre los amantes, es recomendable evitar la posición 'tradicional' con la mujer recostada sobre la espalda y el hombre encima de ella.

Son más fáciles las posiciones de medio lado, sentados frente a frente, el hombre recostado de espalda y la mujer encima, o el hombre por detrás de la mujer.

62. ¿Debemos evitar el sexo oral?

La esposa puede hacerle el sexo oral a su marido durante los nueve meses de la gestación. Sin embargo, él debe abstenerse de hacérselo a ella al final del embarazo, en aras de prevenir una infección. Puesto que en las semanas antes del parto el cuello del útero está maduro y podría sangrar, es vulnerable a las bacterias que están en la boca del compañero.

Cabe recordar que durante el embarazo, la cantidad de secreciones vaginales, así como su olor y sabor, cambian y se intensifican. Esto puede implicar que algunos hombres se sientan incómodos haciéndole sexo oral a su pareja y prefieran evitarlo.

En este caso, es importante dialogar y buscar otras formas de excitación.

63. ¿En qué circunstancias deberíamos abstenernos de hacer el amor?

Siempre que el médico les recomiende hacerlo. Por ejemplo, si:

- La mujer ha tenido historia de abortos espontáneos previos. En este caso, el médico puede prescribir la abstinencia en las primeras semanas del embarazo o durante toda la gestación.
- La mujer ha tenido partos anticipados. Entonces, la abstinencia quedaría restringida a las últimas cuatro semanas del embarazo.
- Se presenta una hemorragia inesperada (en cualquier momento de la gestación).
- La madre tiene placenta previa: es decir, la placenta mal localizada, cerca del cuello uterino o encima de él.
- La madre espera dos o más bebés. Entonces, la abstinencia quedaría restringida a las últimas cuatro semanas del embarazo.

Pregúntele a su médico

Si el ginecólogo le prescribe abstinencia sexual durante algún periodo del embarazo, pregúntele:

- Si debe abstenerse de la penetración, pero puede disfrutar del orgasmo mediante el sexo oral o la masturbación.
- Si debe abstenerse del orgasmo, pero puede ser penetrada por su compañero.

6

La alimentación perfecta para la mujer embarazada

Durante el embarazo usted podría pensar: 'Bueno, si ya me voy a ver gorda, por lo menos que valga la pena', y entonces darle rienda suelta al consumo de dulces, fritos, harinas y demás 'pecadillos'.

Esa actitud, además de complicarle la misión de recuperar su figura tras el nacimiento, es muy peligrosa para el bebé en formación.

Cada alimento que usted consume es materia prima para el bebé. Si elige comida sana, rica en proteínas, vitaminas y minerales, se abastece con los mejores elementos para la formación de ese niño; pero, si elige comidas rápidas, fritos y dulces, le ofrece a su organismo 'materiales' de mala calidad, que no satisfacen los requerimientos del niño ni los suyos.

La gestación, más que ninguna otra época, es un momento para alimentarse a conciencia y con responsabilidad.

Estos consejos le ayudarán:

- Durante todo el embarazo tome un suplemento de hierro y de ácido fólico, bajo control médico.
- Evite el té y el café porque interfieren con la absorción de hierro.
- Beba más leche o consuma más productos lácteos porque son fuente de calcio.
- Para aprovechar mejor el hierro de los fríjoles, las lentejas, las arvejas y los garbanzos, procure acompañarlos con un jugo natural o cualquier otro alimento rico en vitamina C.
- Limite el consumo de fritos y productos artificiales de paquete.

- Evite las bebidas alcohólicas ya que causan defectos físicos, trastornos del aprendizaje y desórdenes emocionales en los niños.
- Prefiera los ingredientes naturales. Consuma muchas ensaladas y frutas enteras.
- Utilice aceites vegetales de soya o girasol en sus recetas. No cocine con manteca.
- Elija preparaciones horneadas, asadas, estofadas y al vapor.
- Modere el consumo de sal y de alimentos con sodio.
- Incluya alimentos ricos en fibra para evitar el estreñimiento y mantener un nivel de glicemia adecuado.
- Consuma preparaciones sólidas al inicio del desayuno para disminuir las molestias típicas del primer trimestre (náuseas y vómito).

64. ¿Cuántos kilos de peso debo aumentar?

En promedio se deben aumentar 14 kg durante la gestación. Se distribuyen así:

- Bebé: 3.5 kg
- Placenta: 1 kg
- Líquido amniótico: 1 kg
- Aumento del tamaño de la matriz: 1 kg
- Aumento de sangre y otros líquidos corporales: 4 kg
- Aumento de los senos: 0.5 kg
- Aumento del contenido total de grasa: 3 kg

Algunos ginecólogos les recomiendan a sus pacientes subir de 1.5 a 2 kilos cada mes, a partir del segundo trimestre. Esto, sólo si la madre comienza la gestación con un peso adecuado.

Recuerde que de los 14 kg que aumentará, sólo 3 kg corresponden a depósitos de grasa (para la lactancia). Tan pronto como el bebé nazca, usted perderá 5.5 kg (3.5 kg del bebé, más 1 kg de placenta, más 1 kg de líquido amniótico); y en las seis semanas siguientes la matriz y los líquidos corporales volverán a su punto de partida.

Si vive su embarazo con sensatez, es decir, sin comer por dos personas ni abusar de los postres, los alimentos fritos ni las golosinas, logrará recuperar fácilmente la línea después del parto.

65. Ahora que estoy embarazada, ¿como lo mismo, pero en porciones más grandes?

Depende de sus hábitos de alimentación. Si está acostumbrada a comer saludablemente, ingerir suficientes proteínas, frutas y vegetales al día, sólo necesita aumentar sus porciones para brindarle al organismo los nutrientes que necesita. Si por el contrario es de las que considera que las verduras son 'comida de conejos', le llegó la hora de pensar en el bienestar de su hijo e ingresar al mundo de la alimentación sana.

En términos generales, las mujeres embarazadas deben consumir 300 calorías más al día para suplir las nuevas necesidades de su organismo y las del bebé que se está formando. Pero no se trata de repetir postre o servirse dos porciones de papas fritas, sino ingerir alimentos ricos en varios nutrientes.

Tenga en cuenta que durante la gestación debe consumir:

- 3 porciones diarias de proteínas: escoja entre pollo, pescado, carne, huevo, vísceras, queso, leche, yogur, kumis, jamón, salchichas, habas, fríjoles, garbanzos, lentejas, arvejas o soya.
- 3 porciones de alimentos ricos en calcio: en general, la leche y todos sus derivados. Además: sardinas y fríjoles.
- 5 porciones de frutas y/o hortalizas.
- 6 a 7 porciones diarias de cereales y tubérculos: elija entre arroz, papa, yuca, plátano, pasta, pan, etcétera.
- 3 porciones de alimentos ricos en vitamina C: todas las frutas cítricas y además, guayaba, kiwi, pimentón, fresa, calabaza y papa.

66. ¿Es cierto que el azúcar es perjudicial durante el embarazo?

Cuando se consume en exceso, sí lo es. Los dulces, pastelillos, chocolatinas y demás golosinas deben limitarse a muy pocas cantidades, cuando usted 'necesite' satisfacer esos pequeños antojos. En ningún caso deben reemplazar otros alimentos de mayor valor nutricional.

El azúcar, en general, aporta energía. Sólo energía. Dicen los profesionales de la nutrición que, las calorías del azúcar son vacías, pues no brindan otros nutrientes valiosos. Fíjese en esta comparación: un vaso de leche y medio pocillo de masmelos o malvaviscos tienen la misma cantidad de calorías, pero el vaso de leche les está aportando a usted y a su hijo no sólo energía sino proteínas, calcio, vitaminas y grasas. Los masmelos aportarán energía, colorantes artificiales y otras sustancias inadecuadas para su hijo. Entonces, ¿cuál es indispensable y cuál debería dejarse para ocasiones especiales?

67. ¿Puedo reemplazar el azúcar por endulzantes dietéticos artificiales?

Los médicos no se han puesto de acuerdo en esta materia. Muchos creen en la teoría de que los endulzantes artificiales pueden producir cáncer y recomiendan suprimirlos de la dieta, tanto de la mujer embarazada como de la que no lo está. Otros consideran que la sucralosa (Splenda), no hace ningún daño durante la gestación.

Si quiere sustituir el azúcar por otro endulzante mientras está embarazada, use fructosa, un producto dulce que se extrae del azúcar de las frutas.

68. Estaba pasada de kilos cuando quedé embarazada. ¿Debo perder peso, aumentar o mantenerme?

Tendrá que aumentar, pero menos que una mujer que ha comenzado la gestación con el peso indicado.

Aunque el número de kilos a aumentar depende de un marcador llamado Índice de Masa Corporal, en general puede decirse que:

- Una mujer que empieza el embarazo con peso adecuado debe aumentar entre 11.9 y 15.9 kg.
- Si la madre estaba flaca, es decir, si su Índice de Masa Corporal era menor de 19, debería subir entre 12.8 y 18. kg.

- Si tenía sobrepeso u obesidad, y su Índice de Masa Corporal era superior a 27, debe aumentar entre 6.7 y 11.3kg.

Calcular el Índice de Masa Corporal (IMC) es muy fácil. Sólo debe saber cuál es su estatura y su peso actual.
Divida la cifra de su peso (en kilos) entre la cifra de su talla en metros al cuadrado:
IMC= $X\,kg \div X\,m^2$
Por ejemplo, si usted pesa 55 kg y mide 1,60 m su IMC se calcula así:
$55 \div 1{,}6 \times 1{,}6 = 21{,}48$

69. No tolero la leche, ¿cómo puedo reemplazarla?

Si su problema es la intolerancia a la lactosa (es decir, al azúcar de la leche), simplemente reemplácela por cualquier derivado lácteo que le guste y que no le haga daño. Por ejemplo, por queso, cuajada, yogur o kumis.

Si es alérgica a la leche y además a los derivados lácteos, procure consumir sardinas y fríjoles que son ricos en calcio. De cualquier modo, consulte con su médico y pregúntele si debe tomar suplementos de minerales.

70. Soy vegetariana, ¿cómo debo alimentarme ahora que espero a mi hijo?

Si dentro de su régimen vegetariano admite los huevos, la leche y los derivados lácteos, no tiene por qué preocuparse. Ellos le proporcionarán las proteínas, el calcio y los demás nutrientes fundamentales para el sano desarrollo de la gestación. Simplemente, recuerde que debe aumentar el tamaño de las porciones o consumirlos más veces al día.

Si es vegetariana al 100 %, es decir, si rechaza todos los alimentos de origen animal, consulte con su médico porque necesitará suplementos de hierro y calcio durante toda la gestación. Así mismo, consuma alimentos a base de soya y otras leguminosas como fríjoles, lentejas, habas, garbanzos y arvejas. Ellos son excelentes fuentes de proteína, carbohidratos y fibra. Cuando los prepare, recuerde acompañarlos con una ración de cereales, por ejemplo, con unas cucharadas de arroz. Las leguminosas y los cereales le brindan a su organismo las proteínas que requiere y son casi tan provechosas como un trozo de carne.

Para el desayuno, prepare colada de avena o avena en hojuelas acompañada con leche de soya. Si le gusta picar un poco entre comidas, además de frutas y hortalizas, consuma maní y otras nueces. No se deje tentar por los fritos ni se obsesione con las harinas.

7

El parto

¡El gran día ha llegado! Usted por fin conocerá a esa personita que ha estado dentro de su vientre durante cuarenta semanas y que le ha hecho soñar con la nueva y maravillosa etapa de la maternidad. Además, para qué negarlo, está feliz porque la agotadora espera y las incomodidades del embarazo están a punto de concluir.

El parto natural tiene tres etapas:

La primera es el trabajo de parto propiamente dicho y consta de tres partes:

- La fase temprana o latente: por lo general, la más demorada y menos dolorosa (algunas mujeres ni siquiera la sienten). Puede realizarse de manera gradual a lo largo de varios días antes del parto, o en cuestión de horas, en un mismo día. En esta etapa se borra por completo el cuello uterino y la madre dilata los tres primeros centímetros.
  De presentarse contracciones, ellas pueden ser regulares o irregulares con duraciones de 30 a 45 segundos cada una, cada 20 minutos o menos.
  Durante esta fase la madre debe relajarse, tratar de dormir (si está a la mitad de la noche), o realizar alguna actividad pendiente. Por ejemplo: organizar el armario del bebé, terminar de empacar la maleta para llevar al hospital, o ver un programa de televisión. Si tiene hambre, puede tomarse un refrigerio muy ligero como una taza de caldo con una tostada o un vaso de jugo de fruta (no ácido), con unas galletas de soda. Debe evitar las comidas abundantes y los alimentos difíciles de digerir como las carnes, los lácteos o las grasas.
- La fase activa: es la continuación del trabajo de parto hasta cuando la madre alcanza los siete centímetros de dilata-

ción. Es más corta que la etapa anterior; dura entre dos y tres horas. En ella las contracciones son muy evidentes, se presentan cada tres o cuatro minutos, con una duración de 60 segundos cada una, aproximadamente. Es el momento indicado para avisar al médico o salir para el hospital.

En este periodo aumentarán los dolores de espalda y el cansancio general. Para relajarse, inicie los ejercicios de respiración que aprendió en las clases de preparación para el parto o pídale a su acompañante que le haga un masaje. Si lo desea, puede caminar un poco o cambiar de posición. Recuerde orinar con frecuencia.

- La fase de transición: es la última fase de la dilatación y también la más incómoda y dolorosa. Por fortuna, es más corta que las dos anteriores, dura entre 15 minutos y una hora. En ella, la madre alcanza los diez centímetros de dilatación. Las contracciones se presentan cada dos o tres minutos y duran entre un minuto y 90 segundos cada una. En este punto, a usted le resultará casi imposible relajarse porque las contracciones se presentarán muy seguidas.

La segunda etapa del parto es el nacimiento del bebé. Hasta este momento usted ha tenido que contener las ganas de pujar por orden del médico. Ahora, por fin, podrá hacerlo y ayudarle a su bebé a salir al mundo exterior. Recuerde que el pujo eficiente es rítmico y se parece al pujo necesario para evacuar la materia fecal.

- Procure pujar con todas sus fuerzas hasta que se le acabe el aire, luego descanse, respire y empiece otra vez.

  No tiene por qué sentirse avergonzada si sale algo de materia fecal o de orina durante el parto, a casi todas las mujeres les ocurre. Es algo natural y esperable tras pujar. Además, las enfermeras estarán allí para limpiarla con gasas estériles.
- Cuando puje, imagínese que lo hace del ombligo hacia abajo. No puje con toda la cara para evitar que sus cachetes terminen amoratados y sus ojos irritados.

La tercera y última parte es la expulsión de la placenta. Una vez que el bebé nace y la enfermera se lo lleva para limpiarlo, a la madre le queda un esfuerzo más por realizar: se trata del alumbramiento o expulsión de la placenta. Es una fase corta que dura entre cinco minutos y media hora, y que resulta mucho menos molesta que las anteriores pues las contracciones son menos prolongadas y dolorosas. Una vez que la placenta sale, si le practicaron una episiotomía, el médico sutura (cose) la herida de la incisión o de un posible desgarro.

71. ¿En qué momento del trabajo de parto debo salir para el hospital?

Debe salir cuando las contracciones se estén presentando con regularidad, cada cinco minutos, y cuando duren entre 60 segundos y un minuto y medio.

Si sus contracciones no se regularizan por completo, pero son intensas, largas y frecuentes, es decir, se presentan cada cuatro o cinco minutos, tome su maleta y diríjase al hospital. Algunas mujeres nunca llegan a tener contracciones regulares.

También debe salir para el hospital cuando rompa el saco de aguas (la fuente), aún si esto sucede en las primeras horas del trabajo de parto. Se considera que a partir de ese momento, la madre y el bebé se vuelven más susceptibles a las infecciones y necesitan atención especial.

Si el médico le ha dicho que puede quedarse en casa aún después de romper la fuente o saco de aguas, recuerde que:

- No debe ducharse, ni lavarse los genitales.
- No debe tener relaciones sexuales.
- Si orina, debe limpiarse de adelante hacia atrás.
- Debe colocarse una toalla higiénica para contener la salida de líquido amniótico.

72. ¿Qué debo llevar en la maleta?

Para la madre:

- Dulces de menta (ojalá sin azúcar), para mantener la boca húmeda.
- Toalla para el cuerpo.
- Toalla para la cara (que se usará para limpiar el sudor durante el trabajo de parto).
- Calcetines gruesos.
- Suéter de lana abierto.
- Dos pijamas.
- Una muda de ropa para el día de la salida.
- Artículos de aseo: champú, jabón, desodorante, cepillo de dientes, crema dental, crema humectante, un espejito para la cara, maquillaje (si lo usa y le hace falta), cepillo para el cabello y bandas elásticas, hebillas o peinetas para recogérselo.
- Toallas higiénicas especiales para maternidad.

Para el bebé:

- Toalla para el cuerpo.
- Toalla para la cara.
- Pijama.
- Una cobijita para envolverlo el día de la salida.
- Pañales para recién nacido y crema antipañalitis.
- Una muda de ropa que incluya: camiseta interior (*body*), calcetines, camiseta de botones (porque es más fácil de poner que las que pasan por la cabeza), y un gorro.

Para el padre o acompañante:

- Un reloj con segundero, para contabilizar la duración de las contracciones.
- Una cámara fotográfica.
- Algo para entretenerse por si la espera se alarga: una revista, un libro, un radio con audífonos, unos naipes, etcétera.

- Un refrigerio o algo de dinero para comprar comida en el hospital.
- Los números de teléfonos de los abuelos y las personas a las que quieran informarles del nacimiento del bebé.

73. ¿De qué depende que un parto sea largo y complicado o corto y más fácil?

Cada parto es único, al igual que cada mujer. El dolor y su percepción están afectados por factores psicológicos. En general, sufren más las madres que hacen su trabajo de parto sin acompañante, las que han tenido embarazos complicados y las que se sienten ansiosas por el futuro.

Se ha estudiado que las mujeres que dan a luz por segunda o tercera vez lo hacen mucho más rápido que las primerizas. En promedio, una madre primeriza se tarda 14 horas, mientras que la madre experimentada termina en ocho horas.

Algunas hacen la primera fase de dilatación sin percatarse de nada ni sentir dolor hasta cuando las contracciones se presentan cada tres o cuatro minutos.

Otras viven concientemente el proceso, les duelen todas las contracciones y pasan largas horas contabilizándolas y esperando el gran momento.

No obstante, a veces es cuestión de suerte. Algunas mujeres 'están de malas' y deben soportar el llamado 'parto de riñones' porque sus bebés han acomodado la cabeza contra el sacro, descargando todo el peso de su cuerpo contra los riñones de la mamá. En estos casos, además de las contracciones, la mujer siente fuertes dolores de espalda.

74. He tenido pérdidas de un moco rosado. ¿Es señal de alguna complicación?

No. Es señal de que el cuello del útero ha comenzado a borrarse. Esas mucosidades son síntoma de dilatación y del inicio del trabajo de parto. Sin embargo, no necesita llamar al médico. En algunas mujeres el proceso puede empezar semanas antes del nacimiento del niño.

Para saber si realmente ha llegado la hora de salir para el hospital, guíese por las contracciones.

Si nota que en lugar de un moco rosado pierde sangre roja, avísele al médico pues podría tratarse de una hemorragia o del primer síntoma de la placenta previa.

75. ¿Puedo tomar aspirina mientras hago el trabajo de parto en casa?

No. La aspirina está totalmente prohibida durante el último trimestre de la gestación. Los estudios han demostrado que puede ser extremadamente peligrosa por su acción antiprostaglandinas. Se sabe que la aspirina interfiere con el crecimiento del feto; además puede prolongar el embarazo y dificultar la dilatación de cuello uterino de la madre.

Puesto que afecta la coagulación, la aspirina puede aumentar las posibilidades de una hemorragia en la madre o el feto.

Tan peligrosa como la aspirina son el naproxeno y el ketoprofeno, ambos medicamentos antiinflamatorios. Evítelos durante todo el embarazo.

76. ¿Qué tipos de anestesia me pueden aplicar durante el parto?

El tipo de analgésico que se usa para el parto se llama epidural. No es anestesia propiamente dicha pues no insensibiliza el área de la pelvis sino que disminuye el dolor en la misma. La epidural se utiliza en los partos naturales, siempre y cuando la madre llegue a tiempo al hospital. Si lo hace cuando ha comenzado la fase de expulsión del bebé, se le pedirá que dé a luz sin medicación para el dolor.

Cuando se trata de parto por cesárea, el médico generalmente utiliza la anestesia local.

77. Le tengo pánico a la sangre y creo que podría desmayarme en mi propio parto.

En su parto usted no hace parte del público. Es la actriz principal. No asistirá al nacimiento de un bebé; sino que le ayudará a nacer a su hijo. En ese momento tendrá todo tipo de pensamientos en su cabeza y puede dar por hecho que el temor a la sangre pasará a un plano secundario. Tanto el cansancio como el dolor, la emoción y las ganas de conocer a ese hijo se encargarán de dirigir su atención a otras cosas.

Si de todos modos el temor a la sangre aumenta su ansiedad, recuerde que no tiene que mirar para abajo y puede fijar la vista en otro punto de la sala hasta que el parto haya concluido.

78. Me asusta la idea de un desgarro de la vagina durante el parto.

Aunque los desgarros sí se pueden presentar, tienen solución y además se pueden prevenir.

Recuerde que la vagina es elástica y el perineo, si bien no lo es tanto, puede adquirir mayor flexibilidad cuando se fortalecen los músculos que lo componen. Para lograrlo, practique con regularidad los ejercicios de Kegel y hágase unos masajes en la zona del perineo a partir del séptimo mes.

Si el perineo no es elástico y el médico cree que la madre se va a desgarrar, puede hacerle una episiotomía. Es una incisión o corte en la zona del perineo para facilitar el nacimiento del bebé en caso de que su cabeza sea demasiado grande, venga de nalgas o deba ayudarlo a salir con un fórceps. Una vez terminado el parto, el médico cose unos puntos sobre la incisión y la madre se recupera sin mayor dificultad, al cabo de unos días.

Es necesario limpiarse la herida de la episiotomía después de ducharse y antes de acostarse, con un antiséptico como, por ejemplo, una solución a base de yodo. Como medidas adicionales, está bien lavarse la vagina con agua (sin jabón), después de orinar o hacer la deposición.

Mientras la herida sana, recuerde ponerse una toalla sanitaria y ropa cómoda, que no le apriete la vagina.

De presentarse un desgarro, no se angustie. Recuerde que los músculos de la vagina y del perineo se vuelven a estrechar con el paso del tiempo hasta recuperar su forma inicial.

No obstante, si al cabo de unos meses su vagina sigue floja y usted siente que esto ha afectado el goce sexual, hable con el ginecólogo.

79. He oído muchas historias de bebés desgarrados por el fórceps y temo que el doctor lo use durante el nacimiento de mi hijo.

Aunque tiene mala fama, el fórceps es un instrumento muy útil, capaz de salvarle la vida al feto. Su uso se limita a ciertos partos complicados: cuando la madre está exhausta, no puede pujar adecuadamente por una enfermedad cardiaca o pulmonar, cuando el latido del corazón del bebé es anormal, o hay sangrado, entre otros problemas.

El fórceps permite evitar el parto por cesárea y no representa ningún riesgo si es utilizado por un obstetra competente.

El fórceps se parece a un par de cucharas de ensalada de metal que se colocan a lado y lado de la cabeza del bebé (a la altura de las sienes), para halarlo y ayudarle a deslizarse por el canal del parto.

En ciertos hospitales este instrumento ha sido reemplazado por la ventosa obstétrica. Su función es la misma, pero su mecanismo es diferente. Consta de una especie de media esfera plástica o metálica que se coloca sobre la cabeza del niño para crear 'vacío' y halarlo hacia afuera.

80. ¿Por qué motivos el médico puede decidir la práctica de una cesárea en lugar del parto natural?

En términos generales, el médico puede tomar la decisión de hacer una cesárea cuando:

- El bebé viene de nalgas o de pies.
- El bebé está sufriendo dentro del útero y necesita ser extraído con rapidez. Por ejemplo, cuando se retrasa el parto un par de semanas.
- El bebé es demasiado grande.
- La madre tiene una enfermedad crónica que le impide realizar el trabajo de parto. Por ejemplo: si ha sufrido un infarto al miocardio, tiene hipertensión arterial o tiene una enfermedad renal o respiratoria grave.
- Preeclampsia o eclampsia.

- El cordón umbilical se 'prolapsa', es decir, se desliza hacia el cuello del útero o incluso hasta la vagina.
- La dilatación no progresa satisfactoriamente.

81. ¿Cuáles son las ventajas y desventajas de la cesárea?

La cesárea es una cirugía mayor, sin embargo, tiene ventajas importantes:

- Le puede salvar la vida a la madre y/o al niño si el parto se complica.
- Se realiza mucho más rápidamente que el trabajo de parto.
- Permite que los niños que vienen de pies o que están atravesados en el útero nazcan sin problemas.
- Duele menos que el parto vaginal (a menos de que la cesárea sea una decisión de último minuto, después de que la madre ha hecho varias horas de trabajo de parto).
- El bebé nace más 'bonito' y menos amoratado porque no ha tenido que cruzar el canal del parto.

Pero también tiene desventajas:

- Aunque la cesárea no duele porque la madre recibe anestesia, la recuperación es más lenta y dolorosa que la del parto natural.
- El bebé estará un poco más adormilado y sus funciones corporales empezarán a perfeccionarse más lentamente. El parto vaginal es un proceso que ayuda a madurar sus pulmones, a activar su sistema digestivo, etcétera.
- El parto por cesárea deja una cicatriz.

82. El hijo de una amiga venía de nalgas y nació por parto natural. ¿Por qué no le practicaron la cesárea?

Algunos estudios sugieren que uno de cada tres bebés que viene de nalgas puede nacer por vía vaginal, sin riesgo. Eso depende de las condiciones de la madre, del bebé y también de las preferencias del médico. En algunos hospitales, de manera rutinaria, los médicos optan por la cesárea siempre que el bebé viene de nalgas. En otros, se intenta primero la vía vaginal y se deja la cesárea como último recurso.

Evidentemente, el nacimiento de nalgas por vía vaginal es más complejo que un parto de cabeza y debe ser manejado por un obstetra con experiencia. No es un procedimiento fácil. En el parto vaginal de nalgas, salen primero la colita y las piernas del bebé. Entonces el médico aplica anestesia local y hace una incisión en la vagina para abrir el final del canal del parto y extraer los hombros y la cabeza del bebé. Algunas veces finaliza el proceso con ayuda del fórceps.

Probablemente su amiga se encontró con un médico que había tenido buenas experiencias con partos vaginales de nalgas.

Parto de emergencia

Dar a luz en el taxi de camino al hospital, en el pasillo de la oficina o en su propia habitación no es la circunstancia ideal ni para la cual se ha venido preparando a lo largo de estos meses. Podría sonarle escabroso o demasiado 'telenovelesco'. Sin embargo, a pesar de los preparativos, los cursos de introducción al parto y el deseo de que todo salga perfecto, los partos de emergencia son una realidad y es necesario estar preparada.

Si le ocurre, estos son los pasos a seguir:

- Pedir ayuda: si está sola, llame una ambulancia, a la vecina o a cualquier persona que pueda venir a auxiliarla. Si está con su acompañante, él se encargará de avisarle al médico.
- Pídale a su ayudante que consiga toallas, sábanas, cobijas o papel periódico que se pueda extender en el lugar donde va a ocurrir el parto. También van a necesitar un platón o un balde para recoger la sangre y el líquido amniótico.
- Si hay tiempo, debe lavar el área vaginal.
- La posición ideal para parir es semisentada. Puede estarlo en el borde de una mesa, de su cama o de una silla grande, con varios cojines de apoyo para la espalda. Debe colocar las piernas altas, ojalá cada una encima de una silla.
- Si la cabeza del bebé no se ha asomado todavía y están esperando la llegada de la ambulancia, la madre debe contener los de-

seos de pujar y limitarse a jadear o soplar para que el proceso se retrase. Si la cabeza del bebé ha coronado la vagina, el ayudante no debe halarla, sino esperar que salga poco a poco. Si el cordón umbilical viene enredado en el cuello del bebé, el ayudante debe colocarle un dedo por debajo para que se levante y pase por encima de la cabeza del niño.

- Cuando la cabeza esté afuera, el ayudante deberá tomarla con las manos y pedirle a la madre que puje para que salga uno de los hombros. Cuando se presente, debe halar suavemente al bebé hacia arriba para que salga el segundo brazo y luego el resto del cuerpo.
- El ayudante debe envolver al bebé en una tela limpia (una sábana o toalla) y dárselo a la madre para que lo arrulle mientras llega la ambulancia. No deben intentar extraer la placenta ni cortar el cordón. Si la placenta sale sola, hay que colocarla en el balde o platón a mayor altura que la madre y el bebé.

8

Complicaciones del embarazo y del parto

83. Si me da gripa, ¿puedo tomar medicamentos?

No debe tomar ningún medicamento sin el consentimiento de su ginecólogo. Si tiene una gripa muy fuerte con congestión nasal, dolor de garganta, estornudos y tos, recurra a los siguientes remedios caseros:

- Beba abundantes líquidos, especialmente jugos ricos en vitamina C.
- Descanse. Permanezca en cama hasta que se sienta mejor y haya recobrado las fuerzas.
- Cierre las ventanas y evite las corrientes de aire frías.
- Abríguese bien.
- Haga gargarismos de agua tibia con sal (disuelva media cucharadita por vaso).
- Haga vaporizaciones con agua de eucalipto

Si nada de lo anterior le ofrece buenos resultados, consulte al médico.

84. ¿Qué hago si me da fiebre?

Si la fiebre no es muy alta y está asociada al resfriado, puede darse una ducha de agua tibia o colocarse paños o toallas humedecidas en las axilas y sobre la frente. Pero si supera los 38 grados centígrados (cualquiera que sea el motivo), debe comunicarse inmediatamente con el médico o dirigirse al hospital. En caso de que surja una demora, evite que la fiebre siga subiendo: báñese con agua tibia y tómese una pastilla de acetaminofén (Dólex).

Durante el embarazo la fiebre es peligrosa pues está asociada a defectos congénitos en el feto. Esté atenta y evite que su temperatura supere los 40 grados centígrados.

No tome aspirina.

85. ¿Es cierto que una mujer se puede volver diabética mientras está embarazada?

Sí, aunque la enfermedad también puede aparecer después del parto.

A este tipo de diabetes se le llama diabetes gestacional y es relativamente fácil de manejar si se detecta a tiempo y la madre sigue al pie de la letra las indicaciones del médico, en particular, en lo que tiene que ver con la dieta.

En la diabetes gestacional, al igual que en los otros tipos de diabetes, el organismo de la paciente no es capaz de producir suficiente cantidad de insulina y en consecuencia, no puede controlar los niveles de azúcar en la sangre. Para detectar la enfermedad a tiempo, muchos ginecólogos le hacen un análisis de sangre a la embarazada hacia la semana 28 cuando la placenta produce más hormonas.

La diabetes gestacional también puede detectarse por síntomas como sed excesiva, ganas de orinar muy frecuentemente y en grandes cantidades, y fatiga.

La mejor forma de prevenirla es manteniendo un peso adecuado y realizando actividad física.

86. ¿Qué es la placenta previa?

La placenta previa es una enfermedad que se caracteriza por la 'mala ubicación' de la placenta en el útero. Cuando la gestación comienza, la placenta tiende a estar localizada en la parte baja del útero, cerca del cuello uterino. A medida que el tiempo pasa y que el bebé crece, ésta empieza a desplazarse hacia arriba.

Cuando la placenta permanece baja, en el límite con el cuello del útero o inclusive tapándolo por completo, a la madre se le diagnostica una placenta previa. En muchos casos, la situación se corrige por sí misma a medida que el embarazo progresa.

Si esto no ocurre y la madre llega a la semana 20, se requieren ciertos cuidados especiales para evitar que la placenta se rompa y se presente una hemorragia. Cuanto más cerca se halle la placenta de la boca del útero, mayores son las probabilidades de esta complicación.

En general, la madre con placenta previa debe guardar estricto reposo, evitar cualquier esfuerzo físico así como las relaciones sexuales y seguir una dieta muy rica en fibra para evitar los pujos fuertes cuando va al baño. En casi todos los casos, los bebés nacen por cesárea.

87. ¿Qué es la eclampsia?

La eclampsia es una enfermedad grave que se caracteriza por un aumento de la presión arterial de la madre. Provoca convulsiones e incluso puede desencadenar un coma.

En términos generales, la eclampsia es una situación temporal que suele remediarse después del parto.

Antes de que la enfermedad se convierta en eclampsia, se le llama preeclampsia y es fácilmente detectable si la embarazada se hace controles periódicos.

Los síntomas principales de la preeclampsia son: elevación de la presión arterial de la madre, hinchazón y presencia de albúmina en la orina.

Si la enfermedad progresa, también puede venir acompañada de jaquecas, mal genio, dolor de estómago fuerte, visión borrosa, cantidades escasas de orina y mal crecimiento del feto.

El mejor remedio para esta enfermedad es dar a luz. Por eso, cuando la madre está cerca de la semana 40, los doctores inducen el parto. Si por el contrario, a la madre le faltan varias semanas de gestación, se le recomendará reposo total, una dieta muy baja en sal y sodio, y medicamentos.

Para prevenir la preeclampsia son claves: una dieta muy rica en vitamina C y minerales, y manejo del estrés.

88. ¿A qué se refiere el término 'cuello uterino incompetente'?

Es una situación en la que el cuello uterino se abre antes de tiempo, por falta de fuerza, como consecuencia de la presión que ejerce el feto. Suele ser la causa de abortos y partos prematuros, no obstante, si se detecta antes de la semana 14, puede solucionarse mediante un cerclaje (sutura cervical).

89. ¿Por qué es tan grave contraer rubéola durante el embarazo?

Porque el bebé puede nacer con malformaciones. El nivel de riesgo depende de las semanas de embarazo.

Entre las madres que contraen la rubéola pasada la mitad de la gestación, se presentan muy pocos casos de complicaciones.

Cuando el feto tiene entre dos y tres meses, las posibilidades de nacer con malformaciones son del 15 por ciento y si el contagio se produce al comienzo, es decir, durante el primer mes, el riesgo es del 35 por ciento.

90. Soy propensa a las infecciones urinarias y a los hongos vaginales. ¿Qué medidas debo tomar durante el embarazo?

Hay varias cosas que puede y debe hacer:

- Beber abundantes líquidos, en especial limonadas sin azúcar y jugos ricos en vitamina C.
- Orinar las veces que sea necesario. Procure no contener las ganas de ir al baño porque esto favorece las infecciones urinarias.
- Después de orinar, secarse de adelante hacia atrás.
- Usar ropa interior de algodón.
- No utilizar prendas apretadas.
- Dormir sin ropa interior.
- Lavarse la vagina después de tener relaciones sexuales.
- Tras hacer una rutina de ejercicios, cambiarse de ropa interior.

- Evitar los talcos perfumados en la vagina.
- Mantener el área de los genitales meticulosamente limpia y seca.

  Si siente ganas de orinar muy fuertes y con picazón, orina escasa (un par de gotas), ardor al orinar, orina de color turbio y bastante olorosa o fiebre, acuda al médico inmediatamente.

9

De vuelta a la rutina

91. He tenido unas pérdidas de sangre demasiado fuertes tras el parto. ¿Es normal?

Sí. Es completamente normal. Esas pérdidas se llaman loquios y están conformadas por residuos de sangre, mucosidades y tejidos que quedaron en el útero después del parto.

Aunque pueda darle la impresión de que se está desangrando, no se alarme. En realidad, esas pérdidas son sólo un poco más abundantes que un periodo menstrual fuerte.

En el transcurso de las semanas siguientes al parto, el color de los loquios irá cambiando. Al principio será rojo intenso, luego marrón, después rosado y por último, amarillo o crema.

Las mujeres que les dan pecho a sus hijos pierden menos loquios porque al lactar, sus cuerpos liberan oxitocina, una sustancia que favorece las contracciones del útero. Y cuando el útero se contrae, no sólo empieza a recuperar su tamaño normal sino que pueden evitarse hemorragias pues se colapsan los vasos sanguíneos que alimentaron la placenta durante la gestación.

Recuerde utilizar toallas higiénicas de maternidad durante este periodo y evite los tampones.

92. Hace dos días nació mi hijo y todavía no me baja la leche. ¿Tendrá hambre?

Ni su hijo tiene hambre, ni sufrirá por falta de alimento en los primeros días de vida. Aunque usted no sienta los pechos congestionados o pesados, puede estar segura de que allí se ha comenzado a producir calostro, la sustancia precursora de la leche materna y de vital importancia para el recién nacido.

Durante las primeras 72 horas de vida, su bebé se contentará con muy pocas cantidades de calostro. Pero recuerde ponerlo al seno tan rápido como sea posible después del parto porque es gracias a la succión que se estimula la producción de leche materna.

Si después de ese tiempo no aparece ni leche ni calostro, consulte a su médico.

93. Siento dolor en el abdomen cuando le doy pecho a mi hijo. ¿Por qué?

Porque su organismo ha comenzado a liberar oxitocina, la sustancia que favorece las contracciones uterinas.

Ese síntoma desagradable es normal e incluso muy beneficioso para su organismo porque le ayuda al útero a recuperar su tamaño normal. No se preocupe, los dolores no deben durar más de una semana.

94. Me da miedo defecar pues podría abrirse la herida de la episiotomía. ¿Estoy exagerando?

Su preocupación suena bastante lógica. La buena noticia es que la episiotomía no se abrirá y usted puede pujar si lo necesita.

De cualquier modo, para que la evacuación se haga con más facilidad y sin necesidad de esfuerzos fuertes, recuerde consumir frutas, verduras y cereales, y beber ocho vasos de agua al día.

Si no se siente demasiado agotada, intente caminar en la casa. El ejercicio, aún el más moderado, también facilita el recorrido intestinal.

95. Había anhelado mucho a este hijo, pero ahora que nació me siento muy triste. ¿Qué me pasa?

Su organismo está sufriendo cambios hormonales importantes. Los niveles de estrógenos y progesterona han caído bruscamente afectando sus sentimientos. Algo similar habrá experimentado antes, en los días previos a la llegada de la menstruación, cuando está de mal genio sin motivo alguno y no tiene ganas de hacer nada. Es completamente normal.

En algunas mujeres, esa tristeza aparece a los pocos días del parto, en otras puede tardarse unos cuantos meses. En la mayor parte de los casos, es una tristeza que se cura sola, en un lapso de dos o tres semanas.

Hay otras causas que pueden influir en los cambios de ánimo: el cansancio, en particular si el parto o el embarazo fueron muy difíciles; la nueva ola de responsabilidades que debe asumir (en especial si ya tiene otros hijos que la esperan en casa); el hecho de pasar a un segundo plano porque el bebé es la estrella principal; sentirse gorda o incómoda con su figura, estar desilusionada porque su bebé tuvo que ir a la incubadora o no es tan bonito como usted esperaba, etcétera.

Por fortuna, todas esas inquietudes tienen solución:

- Si se siente agobiada o cansada, pídale a su marido o a alguna persona cercana que le ayude con la casa y el bebé mientras vuelve a acomodarse a la rutina.
- Lacte a su hijo. Al hacerlo no solo ayudará a afianzar el vínculo entre los dos sino que su organismo gastará muchas calorías y usted podrá recuperar su peso y figura.
- Déle tiempo al tiempo. Ya verá cómo, con el correr de los días, a su pequeño hijo le mejorará la piel, se le quitarán los moretones, engordará un poco y dejará de hacer 'ojitos bizcos'.

Si pasado un mes usted continúa sintiéndose mal, con melancolía, desilusionada de la experiencia de ser madre o sintiendo que ese bebé 'no es suyo', debe consultar con el médico.

96. ¿Cuándo puedo volver a hacer el amor con mi pareja?

Cuando el cuello uterino y la herida de la episiotomía o la cesárea (si las hubo), hayan sanado. La mayoría de los médicos hablan de un plazo de seis semanas, pero este tiempo puede acortarse o alargarse de acuerdo con las condiciones de salud de la madre.

Si desea volver a hacer el amor con su pareja antes del tiempo que el médico le ha establecido, consúlteselo antes.

97. Desde que nació el bebé, he perdido interés por el sexo. ¿Qué puedo hacer?

Primero, no debe sentirse culpable ni obligada a hacer el amor con su pareja por el hecho de que hayan pasado las seis semanas de abstinencia que el médico les recetó.

Es bastante común que el cansancio, la lactancia, el temor al dolor durante la relación sexual, los continuos llamados del recién nacido y el desajuste hormonal interfieran con su deseo, y hasta lo anulen.

- Tómese el sexo con calma. Hable con su pareja y dígale lo que siente. Él también vivió el proceso del embarazo y el parto, y entenderá que usted necesita más tiempo. Quizás podrían intentar practicarse mutuamente el sexo oral o la masturbación como formas alternativas de satisfacción, mientras usted se siente nuevamente preparada.
- Empiece despacio. Antes de la primera penetración, pueden recurrir a las caricias y a los besos.
- No se desilusione si no alcanza el orgasmo la primera vez. Algunas mujeres pueden tomarse un tiempo en volver a llegar al clímax después del parto.
- No espere el momento perfecto. Mejor, aproveche los ratos 'libres' cuando el bebé está dormido o de visita en casa de los abuelos.
- Si tiene la vagina demasiado seca (ocurre frecuentemente cuando la madre está lactando), utilice un gel lubricante.

98. Siento que se me está cayendo el pelo. ¿Son impresiones mías?

No. Se le está cayendo todo el que no se le cayó durante el embarazo. El cabello tiene un ciclo de vida natural: sale, crece y luego se cae. Durante el embarazo, lo mismo que al usar píldoras anticonceptivas, el flujo hormonal afecta dicho ciclo impidiendo que el pelo se caiga. Una vez finaliza el parto y cuando los niveles de hormonas vuelven a su estado habitual, el cabello vuelve a caer.

99. ¿Es cierto que puedo quedar embarazada nuevamente mientras lacto al bebé?

Sí. Aunque la lactancia retrasa la primera ovulación y así mismo, la menstruación, no es posible determinar el día exacto en que la madre volverá a ser fértil, ni mucho menos planificar las relaciones para evitar un nuevo embarazo. La lactancia es un método anticonceptivo poco eficaz dado que el organismo de cada mujer se comporta de manera diferente.

En las mujeres que alimentan a sus bebés con leche materna, la primera menstruación suele volver de tres a cuatro meses después del parto. Sin embargo, este promedio está rodeado de decenas de casos de madres lactantes que han vuelto a ovular a las 6 semanas y de otras que se han demorado hasta 18 meses.

Tan pronto como decida volver a tener relaciones sexuales, consulte con su médico para iniciar un método de planificación familiar eficiente y que no afecte la lactancia.